EXPRESSIONISMUS

HERAUSGEGEBEN VON
DIETRICH BODE

PHILIPP RECLAM JUN. STUTTGART

Umschlagabbildung: Egon Schiele. Selbstporträt auf dem
Titelblatt der Zeitschrift *Die Aktion*, 6. Jahrgang, Nr. 35/36
(Egon Schiele-Heft), 2. September 1916.

Die Texte folgen in Orthographie und Interpunktion den im
Inhaltsverzeichnis nachgewiesenen Quellen.

Universal-Bibliothek Nr. 8726
Alle Rechte vorbehalten
© 1966 Philipp Reclam jun. GmbH & Co., Stuttgart
Gesamtherstellung: Reclam, Ditzingen. Printed in Germany 1994
RECLAM und UNIVERSAL-BIBLIOTHEK sind eingetragene
Warenzeichen der Philipp Reclam jun. GmbH & Co., Stuttgart
ISBN 3-15-008726-0

EINLEITUNG

Eine Anthologie expressionistischer Gedichte hat Vorläufer und große Vorbilder, die sie zu einem etwas fragwürdigen Unternehmen machen. Doch darf sie sich vielleicht ein wenig auf ihre Zeit und den historischen Ort berufen: in der Mitte der sechziger Jahre zusammengestellt, wird sie sich eo ipso unterscheiden von Vorhergehendem: von ersten Sammlungen, die als Selbstbestätigung und Basis für weitere Vorstöße geschaffen wurden, von ‚Kodifizierung' aus dem Bewußtsein der Zeitgenossenschaft am Ende der Epoche, von Versuchen der Wiederentdeckung nach einer Periode gewaltsamer Verschüttung. Inzwischen liegt der Expressionismus gut vierzig Jahre zurück, was Kritik begünstigen sollte. Es ist auf die verschiedenen Gesamtausgaben hinzuweisen, die die revolutionären Autoren erhalten haben, oft eine Verehrer- und Freundestat, oft auch eine strengerem Maßstab genügende Edition. Eine jüngere Literatur hat die expressionistischen Werke mehr oder weniger zur Kenntnis genommen und ist mit der notwendigen Selbstsicherheit weitergegangen. Die Literaturwissenschaft beschäftigt sich seit längerem mit ihnen – und wird damit wohl noch eine geraume Zeit zu tun haben. Denn so gewiß historisch und relativ überschaubar der Expressionismus geworden ist, er bleibt doch so etwas wie eine Tradition, die zu frisch, zu mächtig und weiterwirkend ist, um bereits einigermaßen durchsichtig, rätsellos und jeglichem Verständnis offen zu sein. Problematisch erscheint sie zudem immer wieder im möglichen Einfluß auf spätere Perioden – denkt man nur an die Jahre vor und nach 1933. So ist das Verhältnis zum Expressionismus vorerst noch von Distanz und Faszination gleichermaßen bestimmt. Die Urteile werden vorläufig sein, man wird der Kunst zwischen 1910 und

1925 wahrscheinlich noch auf einige Zeit hin fragend gegenüberstehen.

Zweifellos ereignete sich zu Beginn dieser Jahre eine geistige und künstlerische Revolution. Und plötzlich aufbrechende Bewegungen, die mehr Anstoß- und Anregungscharakter haben als Vollendung zeigen, Äußerungen einer
Generation, die sich mit einemmal zu gemeinsamem Ausdruck zusammenfindet, rasch ihre Höhe erreicht und wenig
später ihren Zusammenhalt wieder verliert, haben stets etwas Faszinierendes. Das gilt für den Vorkriegsexpressionismus wie für den Sturm und Drang oder die frühe Romantik.
Man spürt den Gang der Geschichte und fragt, wie es zu
solcher Aufgipfelung kommt. Was waren dies für Menschen
und wie stark wirkte in ihnen gar ein Zeitgeist, der auch
Abseitsstehende einbezog und kleineren Talenten momentan
eine Stimme verlieh, die dann nicht ohne weiteres mehr aus
dem Ganzen weggedacht werden kann? Der Aufbruchscharakter bei dieser Bewegung der Jungen ist evident und
damit auch ihre Opposition gegen die bestehende Welt und
gegen ‚die Väter'. Von einem Forschen aus diesem feindlichen Hintergrund aus autoritätsgläubigem Bürgertum und
Wilhelminischer Ära mag indirekt noch einige Aufklärung zu
erwarten sein. Daß dann der Weltkrieg dazukommt, Tote
unter den Beginnenden fordert und Entwicklungen jäh abbricht, aber die Geister auch aufs neue provoziert und scheidet, daß schließlich eine politische Revolution folgt und
nach dem Rausch und manchen Euphorien doch alles äußerlich in die Vergeblichkeit münden muß, ist weiter bestimmend für die Unruhe, das Verlangen nach Neuem, die Tendenz zum Utopischen oder die Ausflüge in Willkür, dem
allem sich der Betrachter gegenübersieht.

Die Epoche ist interessant, weil die Erregung ihrer führenden Geister enorm war. Große Gefühle und laute Leidenschaften galten damals etwas. Der Schrei wurde zu einem
bezeichnenden Gestus. Gegen die Sensibilität und Detailkunst der vorhergehenden Jahre setzte man mit revolutio

närem Mut das Grobe und Brutale, auch Häßliche und Ekel-
hafte. Ein Umschlag in eine neue Primitivität war möglich.
Entsprechend ging über das Elementare der Weg bisweilen
zu einer Radikalität der Gesinnungen, die nur aus der Atmosphäre der Revolution zu verstehen ist, für ruhige Zeiten
eher bestürzend wirkt. Aber das Gefühl der Berufung trug
die meisten, die sich damals aussprachen. Weithin herrschte
ein Wille zum Allgemeinen und Wesentlichen, zum Typischen und Absoluten, künstlerisch ein Drang zu höchstem,
geballtestem Ausdruck und Zusammenfassung. Dabei wurde
die Verwandtschaft mit allen Menschen, die Verbrüderung
gerade mit den Niedrigen und Leidenden, das Gutsein in
einem sehr idealistischen Sinne zur verbreiteten Maxime.
Man war bereit zu „Besinnung, Einkehr, Kommunion"
(Stadler), fühlte sich am Anfang einer neuen Weltordnung,
entzückt vom Menschsein und seinen Möglichkeiten. „Eine
Sache des Gefühls, der ethischen Haltung, der neuen Form,
des Wegwerfens verbrauchter Werte und Empfindungen . . .,
eine heiße, pralle, beglückende Zeit" (Edschmid) – das war
der Expressionismus für die Mitlebenden. Er verdient danach kaum die Gleichgültigkeit der Nachkommen.

Wenn man unter dem Eindruck des vordergründig Diver-
gierenden, was alle Revolution hat, nach der Einheit und
dem Kern dieses Epochenstils sucht, wird der Zusammenhang
der Künste, eine vor allem in den vielen Zeitschriften sicht-
bare Verbindung von Literatur und bildender Kunst beach-
tet werden müssen. In den ekstatischen und barbarischen For-
men der Holzschnitte und den glühenden, spannungsreichen
Farben der Gemälde hat der literarische Expressionismus
seine Ergänzung. Auch in der Nachkriegszeit die Eroberung
der Theater und damit eine gewisse Wirkung in die Gesellschaft gehören zu den wesentlichen Phänomenen. Für das
Epische fehlt, wie oft festgestellt wurde, der objektive Welt-
bezug und der lange Atem; dennoch gibt es neben der größeren Zahl expressionistischer Erzählungen auch früher oder
später einige Romane, an denen dieser Epochenstil nicht spur-

los vorübergegangen ist. In der Lyrik aber findet das suchende, sich befreiende, begeisterte Ich vor allem seine verschiedenen Ausdrucksformen. Auch kommt das Gedicht, die Kleinform, dem Experiment entgegen. In ihm konzentrieren sich Zeitbewußtsein wie Stilintention des Expressionismus am deutlichsten. Dabei bleibt freilich das Verhältnis zwischen künstlerischer Leistung und Programm noch besonders zu prüfen. Die Unzahl der Manifeste hat leicht etwas Verwirrendes, doch sie ist auch bereits Späterscheinung, Ausdruck einer Mode gewordenen Kunstübung, deren Elan wie wirkliche Leistung früher liegen. Aber was hat nun Bestand von dieser geistigen und künstlerischen Bewegung, die in ihrem Hang zum Extremen, Unklaren, Maßlosen, oft Anarchischen, in ihrer Realitätsferne vom Ausland her leicht wieder einmal als typisch deutsch erscheinen könnte? Dürfen wir es annehmen, wenn der Franzose Claude David 1959 schreibt: „Zum ersten Mal seit langer Zeit spielte Deutschland nicht die Nachhut der ausländischen Literaturen, sondern setzte sich mit der expressionistischen Avantgarde an die Spitze, bahnte neue Wege und wurde nun seinerseits nachgeahmt."? Mit Sicherheit jedenfalls bedeutet der Expressionismus für Deutschland den Durchbruch zur modernen Kunst im internationalen Sinn. Auf das Formale hin gesehen, förderte die Ausdrucksintensität nicht nur das Auftreten von Superlativen, rhetorischen Worthäufungen und Neologismen, sondern gerade in der Lyrik jene alogischen, magischen und assoziativen Sprachgesten, die zum Bestand der modernen Kunst gehören, liegt der Gewinn bei einer eigenwilligen Bildlichkeit einschließlich der absoluten Metapher und bei einer neuen Befreiung des Verses zum rhythmischen Ausdruck hin.

Aber vielleicht ist das schon wieder zu begrenzt gesehen. Die Proklamation eines neuen Menschen und die Vorstöße in neue Empfindungs- und Ausdrucksdimensionen erscheinen vielgestaltig. Unsere Wertung ist auch durchaus noch im Fluß, bedenkt man nur das Verhältnis zu Werfel oder Becher, zwei einstmals oft allen anderen vorangestellten

Autoren. So sollten gewissermaßen die künstlerischen Zeugnisse der Epoche immer wieder neu gesichtet und geordnet, der Ertrag prüfend hin- und hergewendet werden – einfach aus objektivierenden Intentionen. Von solchen Überlegungen her mag wohl eine Anthologie gerade auch der Gedichte des Expressionismus wieder ihre Rechtfertigung beziehen. Es gibt heute für sie durchaus schon einen Kanon von Titeln, der berücksichtigt werden muß. Doch bleibt ebenso noch Spielraum genug für Auswahl wie Gruppierung. Und es wird gerade in der Komposition einer Anthologie immer ein Stück Subjektivität stecken, sobald man nur die alphabetische Ordnung der Autoren als eines lyrischen Lesebuchs, eines Bildes der Epoche in ihren Gedichten unwürdig abgelehnt hat. Die folgende Ordnung bemüht sich, der Sphäre des Gedichtes nahe zu bleiben, auch auf die Gefahr hin, daß ihre Ordnungspunkte auf verschiedenen Ebenen liegen. Die einzelnen Gruppen sind jedenfalls nicht nach Motiven angelegt, ihr Zusammenhang sollte aus wesentlichen Themen der Zeit und historisch-strukturellen Bezügen kommen. Die Überschriften sind gleichsam Stichworte über dem expressionistischen Gesamtwerk der Autoren.

Da sich Epochen- wie Stilgrenzen niemals scharf abheben, müssen die Beispiele der *Vorbereitung* bei Mombert, Holz, Däubler und Hadwiger, die Gedichte des Übergangs zum Expressionismus, mehr noch als sonst stellvertretend für andere stehen. Geschlosseneres Feld bietet sich schon unter dem Zeichen des *Aufbruchs*. Mit typischen Themen wie „Menschheit", „Bruderschaft", „Allverbundenheit", „Liebe" und „Mitleiden" erhebt hier 1911 Werfel seine Stimme. Bewußter noch stößt sich Stadler von der Epoche des Ästhetischen ab, um „wesentlich" und ethisch zu leben, wie sich überhaupt das Selbstbewußtsein und Selbstverständnis dieser jungen Dichter, die voll Hingabe ihr „Sein in alle Weiten drängen" (Stadler), sogleich deutlich ausbildet. Mag für den Bereich dieser Autoren die Form etwas Sekundäres sein, so tritt mit

dem ebenso frühen Berliner Expressionismus bereits auch ein
ausgeprägter Stilwille im Neuen auf. *Berlin*, die Hauptstadt,
in der die junge Generation den unmittelbarsten Kontakt
zur Zeitwirklichkeit fand, ragt unter mehreren Zentren des
städtischen Expressionismus in seiner Bedeutung einzig hervor. Kurt Hiller wirkte hier als Anreger und Mentor, ebenso
Franz Pfemfert mit seiner Zeitschrift „Die Aktion", und die
Atmosphäre der Weltstadt von 1910 gab das Ferment zu
einer besonderen Ausformung expressionistischen Geistes voll
Schärfe, Aggressivität, Antibürgerlichkeit ohne Pathos, Zy-
nismus und vor allem Groteske. Gegen den Druck einer
faszinierend-übermächtigen Konzentration von Gesellschaft,
Wirtschaft und Staat entstanden hier die Gedichte des schwarzen Humors. „Man begann, die Um-Wirklichkeit zur Un-
Wirklichkeit aufzulösen" (Pinthus). Der von van Hoddis und
Lichtenstein rein entwickelte Groteskstil verrät seine
Fundamente in dem differenzierteren Werk eines Heym oder
Benn. So setzt Heym unter seine hochgetriebenen, leiden-
schaftlich-kalt ausgemalten Bilder des Unheimlichen, unter
seine Phantasien des Schreckens und Grauens den Satz: „Man
könnte vielleicht sagen, daß meine Dichtung der beste Be-
weis eines metaphysischen Landes ist, das seine schwarzen
Halbinseln weit herein in unsere flüchtigen Tage streckt."
Und bei Benn stehen neben den Grotesken die anderen Versuche, der industrialisierten, befremdend-hochzivilisierten Welt
zu begegnen: durch Ausbruch in den Rausch, zum Archai-
schen, zu einer imaginären Urwelt hin.

Das Eintreten für ein neues menschliches Dasein, der An-
griff auf „Betrug und Schein" und der verbreitete Ruf „Alte
Ordnung stirb!" wirkten seit Kriegsbeginn dann auch in jenem
Bereich, wo das Wort *Revolution* politisch-sozialen Sinn hat.
Hier traf sich das Utopische im expressionistischen Menschen-
bild mit dem Zukunftscharakter des Sozialismus, das Bruder-
Pathos mit der Internationalität des Kommunismus, das Ge-
meinschaftsgefühl mit dem Klassengedanken, der Entwurf
einer Friedenswelt mit dem plötzlich aktuellen Pazifismus.

Dieser ‚aktivistische‘ Komplex der expressionistischen Lyrik ist nicht gering; es gibt Versuche, ihn als durchaus eigenständige Leistung aufzufassen, auch propagiert er seinen eigenen Dichtertypus: „Der Dichter meidet strahlende Akkorde... Er reißt das Volk auf mit gehackten Sätzen“ (Becher), „Der Dichter träumt nicht mehr in blauen Buchten... Sein Haupt erhebt sich, Völker zu begleiten. Er wird ihr Führer sein“ (Hasenclever). Aber solche Ansprüche der Literatur, mit dem Ziel einer politisch-sozialen Umgestaltung direkt ins Leben zu wirken, also das Wort zur Tat werden zu lassen, bleiben im Expressionismus letztlich doch realitätsfern wie die erhobenen Anklagen abstrakt. Zech ist unter den Politischen einer der wenigen, die konkrete Anschauung mitbringen. Rubiners Vision des Denkers im Gefängnis oder Leonhards Liebknecht-Bild dagegen stimmen mit dem allgemeinen expressionistischen Kult des großen guten Menschen ziemlich überein. Auch diese politische Lyrik kennt keineswegs den Bezug auf wirkliche Begebenheiten, sondern ordnet sich der großflächig-bildhaften Tendenz der zweiten Epochenhälfte ein, lebt von der Vision der Zukunft: „Eine Insel glückseliger Menschheit“, sieht Becher, „Paradies setzt ein“, „Umarmte ziehen, von Gesängen ewigen Friedens tönend, weit in der Runde“.

Die drei folgenden Gruppen der Anthologie mögen die Breite der Bewegung repräsentieren. Orientierungsmöglichkeiten des lyrischen Ichs entsprechend, sind zunächst mehrere Autoren einander zugeordnet, die in ihrem Werk die Spannung zwischen *Gott und Mensch* austragen, mehr auf Absolutes denn auf Diesseitiges bezogen erscheinen. Ihre Gedichte zeugen für die religiöse Intensität, die damals auch aufkommt, sich in einigen Dramen ausspricht und in Werken der bildenden Kunst deutlich wird (Barlach, Nolde). Daß die neue Form sich dabei mitunter traditioneller Inhalte bedient, ist nur selbstverständlich. Moderner wohl mutet die Subjektivität an, aus der Trakl, die Lasker-Schüler und Goll damals produktiv werden. Ihnen ist in besonderem Maße gemeinsam, daß sie in der sie umgebenden Welt nicht heimisch werden und an deren Stelle in ihren Gedichten aus Bildern und Imaginationen ihre Eigenwelten und *Traumländer* setzen. Die Bedingungen ihrer Fremdheit sind freilich so verschieden, wie die jeweils geschaffene Welt ü b e r Natur und Mensch auch ganz ihnen gehört. Greift bei Trakl der ‚Traum' – eines seiner Schlüsselworte – tief in seine Existenz und ebenso in die metaphorische Struktur seiner Gedichte ein, so bedeutet er für die Lasker-Schüler eher eine Art zweites Dasein, eine phantastisch-beseelte Spielsphäre, ohne die ihr zu leben wahrscheinlich nicht möglich gewesen wäre, während er bei Goll schließlich am ehesten kunsthaft und ästhetisch erscheint und stilgeschichtlich zum Ansatz des Surrealismus wird. Die poetische Überwindung der Weltenge in der Traumweite ist jedoch so bezeichnend für moderne Dichtung überhaupt, daß die ‚Einordnung' gerade dieser drei Autoren in den Expressionismus immer einmal wieder als Beschränkung mißverstanden wird. Umgekehrt zeigt sich eben bei ihnen, welche entscheidende Bedeutung der Expressionismus für die Literatur des 20. Jahrhunderts in einem weiteren Sinne hat. Auch bei mehr immanenter Orientierung oder stärkerer Fixierung an die *Welt* macht sich eine ähnliche Unabhängigkeit gegenüber hergebrachten Ordnungsgefügen bemerkbar. Subjektive ‚Wirklichkeitszertrümmerung', ein freies Schalten mit den Dingen, Umbildung, Verformung und Simultaneität aus der Dynamik der Phantasie und des Geistes sind das Stilprinzip, das den Vitalismus Edschmids oder des frühen Brecht trägt, in Ehrenbergs verzweifelter Lust-Qual-Ambivalenz herrscht oder die Auflösung des Ich und seine Verschmelzung mit dem Außen in einigen beispielhaften Versen Loerkes oder Brechts künstlerisch bestimmt.

Wo sich der emanzipierte Autor dann seinem Ausdrucksmittel selbst zuwendet, die Sprache mehr und mehr direkt als bildbares Objekt einbezieht und *Wort und Spiel* in eins faßt, zeichnet sich eine weitere Strömung im Expressionismus ab. Bei Stramm setzt – in seinem Werk als Prozeß verfolgbar – die Loslösung vom Bedeutungsmäßigen und die Konzentration auf den reinen Ausdruck ein. Geht es ihm aber noch in einem sehr idealistischen Sinn um das „einzige allessagende Wort", so führen die Versuche seiner Nachfolger im „Sturm" und der äußerlich, kaum aber typologisch eigene Ansatz des Dadaismus aus mehr artistischer Gesinnung weiter in die Abstraktion: zum reinen Klang, zum reinen Rhythmus, zum Wort ohne gedanklichen Grund. Die Unsinnspoesie Balls, Arps und Huelsenbecks, der bestehenden Welt zum Trotz und Protest veranstaltet, ist schließlich als rein spielerische Form nur der andere Ausdruck derselben Existenzlage, der zuvor der Berliner Frühexpressionismus entsprungen war.

Ihrer extremen Position, einem Endpunkt sozusagen, läßt sich zum Schluß eine Gedichtgruppe entgegenstellen, in der sich Ansätze einer nachexpressionistischen Entwicklung abzeichnen. Ein vielleicht spezifisch *süddeutscher Ton* innerhalb des *welt*zugewandten Expressionismus gewinnt aus dem Gegenständlichen, Konkreten besondere Kraft. Bei offenbarer Ekstatik des Ausdrucks basiert er auf einer gleichsam magischen Sachbezogenheit, und so deutet sich in diesen expressionistischen Bildgedichten eines Kölwel oder Britting bereits etwas vom Stil der späteren zwanziger Jahre und ihrer Naturdichtung an, womit sie als Typus ähnlich das Ende der Epoche markieren wie Mombert oder Däubler ihren Anfang: den Übergang der revolutionären Ausflüge nunmehr zu einer neuen, das expressionistische Erlebnis voraussetzenden Bindung an die Realität.

Vorbereitung

ALFRED MOMBERT

Stürz' ein, o Seele, und erwache im Chaos!
Auf der Felsklippe gelagert
ruf' ich, schroffer Adlerschrei,
eine wilde Welt herbei.
Aufschwillt ein Meer,
wälzt seinen Brand an meine Füße schwer.
Öffne die Flügel frei!
Und mitten, hoch! über die schäumende Flut,
in ersten Schöpfungtagen,
und Feuermäntel umgeschlagen,
seh' ich Vater und Mutter ragen.
Ich höre sie tiefes Geheimnis sagen.
Und wieder verschlingt sie die träumende Flut.
Und die träumende Flut hebt an zu singen,
und ungeheuer wird das Meer,
und wieder Vater und Mutter, die bringen:
       als brennende Türme,
       lächelnde Stürme:
Mond und Sonne auf den Händen her,
aus der Tiefe, der Singenden,
herauf zu meinem Fels, dem Klingenden –
Es wird ein seliger Verkehr.

Gott ist vom Schöpferstuhl gefallen
hinunter in die Donnerhallen
des Lebens und der Liebe.
Er sitzt beim Fackelschein
und trinkt seinen Wein
zwischen borstigen Gesellen,
die von Weib und Meerflut überschwellen.
Und der Mond rollt über Wolkenberge
durch die gestirnte Meernacht,
und die großen Werke
sind vollendet und vollbracht.

Ob's möglich ist, hier einen Weg zu bahnen."
Das ist das Wort, das ich mir oftmals sage
im Tiefen-Bewußtsein, währenddeß mein Geist
eindringt in eine Welt urgroßer Bilder.
Unbewegt lagern sie,
den Wanderer anschauend.
Hier hängt ein Vogel seine Flügel über mich,
daß ich wie in Höhlen stehe.
Aufblickend seh' ich wunderbare Sterne
den Federn eingefügt, ein Nacht-Gewölbe
strahlt über mir, und macht in Wonne staunen.
Dann saust das auf, dann wirbeln Blätter nieder
aus Wipfeln eines Welt-Baums.
Niederblickend seh' ich schillernden Strom
an mir vorübergleiten, der treibt die Blätter
über meinem Spiegelbild dahin.
Liegen muß ich, übers Wasser starren,
bis Etwas wie ein Greis mich weckt, eine Bergstange
mir in die Hände legt. Ich merk' es jetzt:
Ich bin im Eisgebirg. Das Mondlicht silbert
an scharfen Zinnen. Und ich stehe; schaue . . .
Eine Sonne schau' ich. Glutrot
hängt sie über drei Weltmeeren.

In alle drei tropft ihre Glut hinunter
und sinkt durch Wogen sichtbar bis in Grund.
An jedem der drei Meere
sitzt ein Ufer-Greis mit einer Angel
in tiefem Sinnen.
Er fischt Gluttropfen aus den dunklen Wogen,
er legt sie auf die Hand, und läßt sie glühen,
und blickt aus traumalten Augen
in tiefe Himmel.

„Ob's möglich ist, hier einen Weg zu bahnen."
Das ist das Wort, das tief im Haupte nistet
und mir oftmals den Fuß rührt und die Hände.
's ist das, was „Mensch" ist, und „das Leben" ist;
's ist das, was einzig einen Namen trägt.
Doch Alles Andre, das ist Namenloses;
und lagert; und blickt mich an.
Und dran zu denken, wie dies Wort
mir in das Haupt kam, und warum es kam –
auch das ist Namenloses;
und lagert; und blickt mich an.

In Booten liegend. Und die Boote schwankten
und stießen mit den Kielen aneinander.
Die Ruder schlappten im Nacht-Wasser.
Und unsre Häupter lagen auf dem Bord,
groß, wild, und einsam,
und Augen glänzten überm gurgelnden Wasser.
Und Manche schliefen nach so langer Meerfahrt,
nach soviel glanzgestirnten Nächten,
jetzt nahe einer unbekannten Küste.
Wir aber, wir, wir Tiefsten, Schlummerlosen,
wir blickten in der Richtung einer Stadt,
die prachtvoll nackt am Strande sich erhob
mit Türmen und Palästen, hellerleuchtet,

mit wandelndem Volk auf weiten Marmorplätzen.
Die mir gefolgt durch die Gedanken-Meere,
und ich, ihr träumender Dämon:
Wir schauten glühend und begehrlich lüstern
hinüber in das greifbar nahe Land der Menschen.

Langsam dämmert es in dieser langen Nacht.
Ich merke: starke Kraft wirkt.
Die öffnet sich das Tor der Dunkelheit.

In dieser langen dunklen Wolken-Nacht:
Auf diesen kahlen Klippen:
In dieser ewigen Felsen-Landschaft:
War ich.
Ich lebte; werkte.
Immer von heftigen Winden umstürmt.
Immer gepeitscht von wütendem Regen.
Ich wandte mich, ich mühte mich im Dunkeln.
Ich schuf und grub:
säte und pflanzte:
immer mit wissenden, immer mit hellen Gedanken:
den Grund für Länder, die Pläne für künftige Reiche.
Hoffend: einmal wird das Licht darüber aufgehn –
einmal werden die Völker-Gärten blühen.
Hoffend –

Aber nun das Dämmern endlich anhebt:
Beginnt auch schon ein Orgeln auf den Höhen.
Erhebt es sich droben wie Sturm.
Es tost und dröhnt,
brüllt dumpf: und heult.
Es grellt und schreit.
Tier-Stimmen-Rufe hallen Echo.
Gelöste Felsen wirbeln herab –

Aufgestützt auf den eisernen Spaten:
über zerschafften Erd-Bauer-Händen
hochgewandt mein zernächtigtes Gesicht:
Trifft mich aus den Höhen ins Auge der Licht-Schimmer.
Als rollten heran Wogen der Berghöhen:
ungeheuer wogt, wälzt, und rasselt es:
in langen Herden, in Truppen und Zügen
zwischen langen schwanken Schatten
schurrt: rutscht: tappt es herab.
Schnaubend, wühlend, und seufzend:
stampfend kommen grauenhafte Tiere:
die starren Schreck-Gebilde einer Brunst-Zeit,
ungetüm bleischwer
niederwuchtend und zermalmend –

über meine Lilien-Saaten!
Über meine Träume!

Abende.
Asia erschien: vergoldet von Blumen.
Ganz draußen tanzten Reiter ihre Rosse.
Zwischen ihnen stand der Berg
glühend mit dem riesigen Gipfel.
Frauen lehnten auf Betrachtung-Brücken
über dem schwärmerischen Fluß.

Dämmerungen.
An dem Rande der steinernen Hochebene
erfaßte mich ein jäher Sturm-Wirbel.
Und an Strömen dunklen Asiens
hielten Dämonen den Wanderer auf.
Sie sprachen unsagbare Sprache,
die den Geist ergriff.
Freuden-, Leidenschaften,
die wahnsinnig machen.

Nächte.
Tiefe Schluchten zerklüfteten die Stadt.
An Rändern hingen labyrinthische Gassen
finster-gefährlicher Häuser.
Morsche hölzerne Stege
überflackerten zerklirrende Laternen.
Und trunken lallende Matrosen
– von ihren Dirnen hinuntergestoßen –
stürzten wandab in die Tiefe.

Mitternächte.
In hellachendem Fenster
von unten hochgereckt
erschien dann immer eine Harfe:
darauf die wilde Hand, mit dem funkelnden Lied.
Dann eine Stirn: Rothaar, durchkrochen
von Gold- und Silber-Schlangen.
Es erschien die nackte Brust mit den Armen
asiatischer Seligkeiten.
Und dann war da der Schoos
in Rosen-Kränzen:
Ungeheure Lockung-Brandungen
schleudernd ans schwermütige Wanderer-Haupt der
                                        Tiefe.

So dunkel ist mein Schatten, daß er noch sichtbar ist
am schwarzen Strom.
Doch meine Gestalt ist nicht mehr sichtbar.
Ich übergab sie der Erinnerung
schlafender Menschengesichter,
die in Felsentälern der Regen überströmt.

Dem Chaos trank ich manchen Becher zu.
Es fuhr empor, es lachte, und es weinte.
Dann sank es wieder zurück in alte Ruh.

ARNO HOLZ

In rote Fixsternwälder, die verbluten,
peitsch ich mein Flügelroß.

Durch!

Hinter zerfetzten Planetensystemen, hinter vergletscherten
hinter Wüsten aus Nacht und Nichts   [Ursonnen,
wachsen schimmernd Neue Welten – Trillionen Krokusblüten!

Um eine rote, glühende Eisensäule,
bis in den Himmel
mit spitzen Glasscherben und Schermessern gespickt,
werde ich an unsichtbaren Ketten, langsam, rauf und runter
[gedreht.

Langsam, ruckweis und gründlich.

Ich stöhne, ächze, gurgle, brülle: Hosianna!

In sieben mal siebzig Ewigkeiten,
wenn die Scherben zermürbt sind und die Messer nicht mehr
wird die Säule schwarz stehn;   [können,
unten,
in dem runden, stinkenden Tümpel um sie,
wird mein Hirn, meine Leber, mein Blut, der ganze Matsch
und ich,   [geronnen liegen,
„geläutert",
eine verklärte, selig gewordne Liebigbüchse,
werde schluchzend,
mit meinem letzten, übrig gebliebenen Knöchelchen,
an die Pforte des Paradieses klopfen!

Mit grellen Farben schreit die Litfaßsäule:

„Mondamin!"

„Dreißigtausend Menschen waren im Meßpalast!"

„Pst, Sie!
Die geplatzte Emma!"

„Halt!
Mehr Goethe!"

„Papst Cohn!"

„Wilhelm, der Geschmackvolle, als Erzieher!"

„Das neue Weib!"

„Abeles, der Neo-Romantiker!"

„Das weltentätselnde Substanzgesetz!"

„Wie
sag' ich's meinem Kinde?"

„Nietzsche oder die Philosophie als Serpentintänzerin!"

„Wählt Zubeil!"

Ein Platzregen
prasselt,
der ganze Dreck . . . hängt in Fetzen.

Sieben Septillionen Jahre
zählte ich die Meilensteine am Rande der Milchstraße.

Sie endeten nicht.

Myriaden Äonen
versank ich in die Wunder eines einzigen Tautröpfchens.

Es erschlossen sich immer neue.

Mein Herz erzitterte!

Selig ins Moos
streckte ich mich und wurde Erde.

Jetzt ranken Brombeeren
über mir,
auf einem sich wiegenden Schlehdornzweig
zwitschert ein Rotkehlchen.

Aus meiner Brust
springt fröhlich ein Quell,
aus meinem Schädel
wachsen Blumen.

VICTOR HADWIGER

Ich bin

Sollst stäuben und plätschern Element
Heute noch! –
Sollst drohen und drängen
In fahl oder dunkelgrün, blaß und grau
Heute noch! –
Aber morgen ist Frühling,
Und mein Herz bebt
Vom Schwall der Arterie.
Aderauf – aderab

In Hirn und Hand
Rieselt und rinnt, stürzt sich und stürmt
Der Saft des Gedeihens;
Da kreisen und wirbeln
Zwei neue Gedanken,
Wie zwei große Sonnen
In endlich – unendlichen, stolzen Systemen.
Berghinan treibt der Wille
Über kreißende, atmende Erde,
Und wilde Lust klammert meine Fersen. –
Dort Blau und Gold in den Morgen hinaus
Reiten Ulanen
Drei oder vier Fähnlein;
Und es hallt und schallt
Ihr Ulanenlied.
Der Wald singt eiserne Sonette,
Und in meinem Herzen steigt
Eine jubelnde Lerche. –
Hustet und philosophiert der Tod,
So lach' ich und lebe,
Himmelan
Wirft mich die ewige Woge. –
Ich bin! –

THEODOR DÄUBLER

Purpurschwere, wundervolle Abendruhe
Grüßt die Erde, kommt vom Himmel, liebt das Meer.
Tanzgestalten, rotgewandet, ohne Schuhe,
Kamen rasch, doch sie versinken mehr und mehr.

Furchtbar rot ist jetzt die Stunde. Wutentzündet
Drohen Panther. Grausamfunkelnd. Aufgebracht!

Dieser bleibt: ein Knabe reitet ihn und kündet
Holder Wunder tollen Jubel in die Nacht.

Nacht! der Abend, aller Scharlach mag verstrahlen.
Auch der Panther schleicht im Augenblick davon.
Aber folgt dem Knaben! Sacht, in schmalen Glutsandalen
Tanzt er nackt im alten Takt von Babylon.

Alle Flammen abgeschüttelt? Auf der Füße
Blassen Spitzen winkt und fiebert jetzt das Kind:
Weltentschwunden? Sterne sind die sichern Grüße
Stiller Keuschheit überm Meere, vor dem Wind!

Sang an Volterra

Es rasen die Schafe aus Büschen und Schluchten,
Auf schreckgelben Sturzblöcken blökt jetzt ein Bock.
Die Angstzackenschachte erblauen, entbuchten
Der Schauderverbauchung – hinaus in die Furcht.
Barockgroß bekommt noch der Berg einen Stock
Und wird schon von kletternden Blitzen durchfurcht.
Wie Wesen entwandelt verballtes Gepfauch,
Und nackt spreizt sich plötzlich ein sturzhafter Bauch.
Da wandern die Täler, entwallen den Wäldern,
Der Ursprung der Berge entwuchtet den Feldern:
Da sind sie, da oben, die Großen der Welt!
Es gibt kein Gebirge, es fliegen die Riesen.
Das lärmende Nichts hat sich wieder erwiesen:
Die Stille entsilbert, der Sterbeschrei gellt!
Und abermals fangen die alten Gewalten
Die Stadt an zu bauen, die Stadt, ihre Stadt,
Die Königsgewitter als Machthaber hat!
Sie wandert und donnert, vom Sturme erhalten.
Die Tore stehn offen, den Blitz zu empfangen.
Die Fenster sind unten, den Guß zu entlassen:

Da kommt sie auf Regen, zu Fuß, angegangen.
Nun singe, Sang, singe durch gießende Gassen.

*

Voll Strenge rage ich empor in das Gewitter.
Ihr Berge, werdet wieder unter meinen Füßen:
Bedeutsam schließen sich die Weltereignisgitter.

Du sollst das Anschlußwunder deines Ichs begrüßen.
Durch Ohren, Augen werd ich jubelnd fortgeboren;
Der Mensch hat nichts in seinen Tagen zu verbüßen!

Geburt, Geburt, vollende dich aus tausend Toren,
Ich soll den Großturm in den Vollsturm recken;
Es hat der Geist sein Gleichnis in der Form erkoren.

Mein Festungstrumpf verweigert alle Abgrundschrecken.
Hoch oben thront der Trotzentschluß stolz abgeschlossen.
Die Kampfbegier entschließt sich schroff zu Vorbauzwecken.

Volterra hat den letzten Sonnenkeil verschossen.
Nun ruht die Burg, und unter ihr erfunkelt Ruhe:
In alle Täler hat sich Einsamkeit ergossen.

Die Stadt ist ihrer Landschaft eigne Wundertruhe.
Volterra gleicht dem Schweigen, das um Großes waltet,
Es kommt im Kleide ohne Knisterspur der Schuhe.

Der Bergstadt Atemandacht hat sich alt gestaltet.
Zerworfne Heidenmauern flehen starr um Gnade.
Der Warten Wallfahrt ward am Abfallstag zerspaltet.

Die Angst verästelt sich im Schacht der Saumtierpfade,
Die sich in Wirbeln wie durch Tiergehirne winden;
Dazwischen hängt die Last am eignen Tragegrade.

Panikgewalten mußten den Verstand erfinden,
Denn selbst wir Menschen stehn durch unsre Ahnenschwere
Und werden schnell und leicht im Weltwechsel verschwinden.

So kommst du nicht zur Stadt der strengen Erdenehre!
Volterra, als ihr Gleichnis, kann dich nicht empfangen.
Betritt sie nur: die Feste treibt dich immer in das Leere.

Ein andres Atmen hat am Abhang angefangen:
„Dem Land entfliege!" sagt die Stadt erstarrter Sagen:
Du darfst zu deinem Anfange zurückgelangen!

Etruskergluten werden um ihr Wunder fragen.
Was ihr Verstand gebar, muß sie verhüllt erwarten,
Da die Lebendigen die Toten weitertragen.

Was wir im Grab verscharrten, strahlt im Ahnungsgarten,
Der Blick, der Rätsel bricht, wird Rätsel forterfinden,
Und wandelnd fragen wir nach alten Eigenarten.

Die Stadt zerzankt sich mit den alten Winterwinden:
Sie läßt die Leidenschaften durch die Tore heulen
Und fängt am Marktplatz an, mit Blitzen anzubinden.

Zerflattert sind der Festung letzte Wolkenbeulen,
Der Silbermittag hat die Landschaft eingenommen,
Dann stürzt der Tag herab von seinen Sausesäulen;

Doch zu Volterra ist ein Einsiedler gekommen.

*

Der Berg stürzt ein: die Abhangstadt wird bleiben.
Das haben keine Menschen klar erschaffen.
Wir ahnen, daß die Wahngewalten klaffen.
Die Welt wird sich ein Wunder einverleiben.

Das ist die Ruhe ohne unsern Frieden,
Der Wunsch, das Furchtbare vertraut zu tragen,
Die Wahrheit vor den welterstaunten Fragen,
Denn wir erkennen uns zu spät hienieden!

In diesem Kerker klirren keine Scheiben.
Wer hört die Herzen Eingesperrter pochen?
Die Kälte klappert mit Verbrecherknochen.
Der Berg versinkt: die ihn nicht sahen, treiben.

Wir haben vorlaut unser Wort verlassen.
Die Zeit ist unsre Rettung durch die Eile.
Der Schrei bemerkt den Abbruch unsrer Steile.
Doch der Verstand kann rasch den Sturz erfassen.

*

Die Falter haben lang dem Abend vorgeflackert.
Dem Nachmittage brachten sie die Pracht der Farben.
Ein Mann hat halberschlafft im Golde fortgeackert,
Da tanzten sie als Abendahnungen um Garben.
Dann ward es Abend. Eine rote Ehrfurchtsstunde.
Nun kommt der Freudenstern. Und auch zwei Friedensterne.
Ein guter Blutrubin durchglüht die Tageswunde.
Die Nacht ist aufrichtig: sie hat uns wirklich gerne.

*

Die Sterne. Blaue. Ferne.
Ein Flammensang der Sterne!
Millionen Nachtigallen schlagen.
Es blitzt der Lenz.
Myriaden Wimpern zucken glühend auf.
Das grüne Glück von Frühlingsnachtgelagen
Beginnt sein eigenbrüstiges Geglänz.
Die lauen Schauer nehmen ihren Zauberlauf:
Millionen Nachtigallen schlagen.

Erkenne ich ein freundliches Gespenst?
Ich werde mich im Ernst darum bewerben.
Der kleinste Wink will sich ins Wittern kerben:
Wer weiß, wann meine Traulichkeit erglänzt?
Gespenster gleichen unsern sanften Tieren,
Sie können bald den Samt der Neigung spüren.
Sie heben, schweben, weben sich heran
Und halten uns unfaßbar sacht im Bann.
Ich will die Lichtgewimmelstille nicht verlieren,
Ein altes Walten muß sich bald aus Sanftmut rühren.
Millionen Nachtigallen schlagen.
In zarter Nacht ermahnen uns verwandte Stimmen.
Es scheint ein Mond geheimnisvoll zu glimmen.
Doch ist zu warm die Nacht, voll atmendem Behagen!
Myriaden brunstbewußter Funken suchen sich im Fluge,
Sie schwirren hin und her und doch im Frühlingszuge.
Das Lenzgespenst, das Lenzgespenst geht um im Hage.
Es kann der Laubwald wandern und sich selbst erwarten,
Das schwankt und walzt nach allen alten Wandelarten;
Es lacht die Nacht: der Wagen wagt; es wacht die Waage.
Es blitzen da Myriaden tanzvernarrte Fragen –
Millionen Nachtigallen schlagen.

Geheimnis

Der Vollmond steigt auf steilen Kupferstufen
Sehr rasch ins taubeblaute Feigenland.
Ein Tier, das starb, hat ihn emporgerufen:
Ein Vogel? Streichelt ihn die Silberhand?

Nun ist der liebe Mond zu sich gekommen:
Beruhigt kann er unter Menschen sein.
Die Junikäfer sind verliebt erglommen.
Jasmingeruch betäubt die Todespein.

Dann wieder hat ein Tier im Busch gewimmert.
Es schrie sogar! nun ist es bloß der Wind.
Nur still, wie gut die Silberampel schimmert,
Der Mond ist Wald und Wesen hold gesinnt.

Als Vogel ist er einst davongeflogen;
Er sollte Künder sein von Trost und Glück!
Dann sind ihm weiße Tauben nachgezogen:
Der Mond kehrt nie in Gottes Hand zurück.

Die Apokalypse

Mein Grab ist keine Pyramide,
Mein Grab ist ein Vulkan!
Das Nordlicht strahlt aus vollem Liede,
Schon ist die Nacht mir untertan!
Verdrießlich wird mir dieser Friede,
Der Freiheit opfre ich den Wahn!
Die Künstlichkeit, durch die wir uns erhalten,
Den Ararat, wird meine Glut zerspalten!

Der Adam sei zu Grab getragen,
Und übrig bleibt sein Weltinstinkt.
Der baut sich auf aus tausend Marmorsagen:
Ich selbst, ein Schatten, der zur Arbeit hinkt,
Vermag bloß um den Ahnen tief zu klagen,
Da er durch mich, im Schacht, um Fassung ringt.
Das Grab, das er sich aufbaut, ist sein Glaube,
Daß ihm Vergänglichkeit das Urbild nimmer raube!

Ich fühle, stolzer Erdenvater,
Dein Leid, das die Gesetze sprengt:
Ein Drama denkst du im Theater,
Das tausendstufig dich umdrängt.
Du atmest Freiheit aus dem Krater,

Der furchtbar sich zusammenengt:
Auf deine Grabesruhe trachte zu verzichten,
Dann wird dein Herzensstern die Welt belichten!

Ich selber bin ein Freiheitsfunke,
Das Gleichgewicht ertrag ich nicht!
Hinweg mit dem Erfahrungsprunke,
Ich leiste auf ein Grab Verzicht!
Die Gnade schäumt im Urgluttrunke
Als Übermaß ins Weltgericht;
Doch das will ich mit meinem Schatten halten,
Ich träume euch, befreite Erdgewalten!

Mein Grab ist keine Pyramide,
Mein Grab ist ein Vulkan.
Mein Hirn ist eine Funkenschmiede,
Das Werk der Umkehr sei getan!
Kein Friede klingt aus frohem Liede,
Mein Wollen wird zum Weltorkan.
Das Atmen schaffe klare Taggestalten,
Die kaum erschaut, den Ararat zerspalten!

Aufbruch

FRANZ WERFEL

An den Leser

Mein einziger Wunsch ist, Dir, o Mensch verwandt zu sein!
Bist Du Neger, Akrobat, oder ruhst Du noch in tiefer
                                        Mutterhut,
Klingt Dein Mädchenlied über den Hof, lenkst Du Dein
                                        Floß im Abendschein,
Bist Du Soldat, oder Aviatiker voll Ausdauer und Mut.

Trugst Du als Kind auch ein Gewehr in grüner Armschlinge?
Wenn es losging, entflog ein angebundener Stöpsel dem Lauf.
Mein Mensch, wenn ich Erinnerung singe,
Sei nicht hart und löse Dich mit mir in Tränen auf!

Denn ich habe alle Schicksale durchgemacht. Ich weiß
Das Gefühl von einsamen Harfenistinnen in Kurkapellen,
Das Gefühl von schüchternen Gouvernanten im fremden
                                        Familienkreis,
Das Gefühl von Debutanten, die sich zitternd vor den
                                        Souffleurkasten stellen.

Ich lebte im Walde, hatte ein Bahnhofsamt,
Saß gebeugt über Kassabücher und bediente ungeduldige
                                        Gäste.
Als Heizer stand ich vor Kesseln, das Antlitz grell
                                        überflammt,
Und als Kuli aß ich Abfall und Küchenreste.

So gehöre ich Dir und allen!
Wolle mir, bitte, nicht widerstehn!
O, könnte es einmal geschehn,
Daß wir uns, Bruder, in die Arme fallen!

Als mich dein Wandeln an den Tod verzückte

Als mich dein Dasein tränenwärts entrückte
Und ich durch dich ins Unermeßne schwärmte,
Erlebten diesen Tag nicht Abgehärmte,
Mühselig Millionen Unterdrückte?

Als mich dein Wandeln an den Tod verzückte,
War um uns Arbeit und die Erde lärmte.
Und Leere gab es, gottlos Unerwärmte,
Es lebten und es starben Niebeglückte!

Da ich von dir geschwellt war zum Entschweben,
So viele waren, die im Dumpfen stampften,
An Pulten schrumpften und vor Kesseln dampften.

Ihr Keuchenden auf Straßen und auf Flüssen!!
Gibt es ein Gleichgewicht in Welt und Leben,
Wie werd' ich diese Schuld bezahlen müssen!?

Ich bin ja noch ein Kind

O Herr, zerreiße mich!
Ich bin ja noch ein Kind.
Und wage doch zu singen.
Und nenne dich.
Und sage von den Dingen:
    Wir sind!

Ich öffne meinen Mund,
Eh' du mich ließest deine Qualen kosten.
Ich bin gesund,
Und weiß es nicht, wie Greise rosten.
Ich hielt mich nie an groben Pfosten
Wie Frauen in der schweren Stund'.

Nie müht' ich mich durch müde Nacht
Wie Droschkengäule, treu erhaben,
Die ihrer Umwelt längst entflohn!
(Dem zaubrisch, zerschmetternden Ton
Der Frauenschritte und allem, was lacht.)
Nie müht' ich mich, wie Gäule, die ins Unendliche traben.

Nie war ich Seemann, wenn das Öl ausgeht,
Wenn die tausend Wasser die Sonne verhöhnen,
Wenn die Notschüsse dröhnen,
Wenn die Rakete zitternd aufsteht.
Nie warf ich mich, dich zu versöhnen,
O Herr, aufs Knie zum letzten Weltgebet.

Nie war ich ein Kind, zermalmt in den Fabriken
Dieser elenden Zeit, mit Ärmchen, ganz benarbt!
Nie hab ich im Asyl gedarbt,
Weiß nicht, wie sich Mütter die Augen aussticken,
Weiß nicht die Qual, wenn Kaiserinnen nicken,
Ihr alle, die ihr starbt, ich weiß nicht, wie ihr starbt!

Kenn ich die Lampe denn, kenn' ich den Hut,
Die Luft, den Mond, den Herbst und alles Rauschen
Der Winde, die sich überbauschen,
Ein Antlitz böse oder gut?
Kenn ich der Mädchen stolz und falsches Plauschen?
Und weiß ich, ach, wie weh ein Schmeicheln tut?

Du aber, Herr, stiegst nieder, auch zu mir.
Und hast die tausendfache Qual gefunden,
Du hast in jedem Weib entbunden,
Und starbst im Kot, in jedem Stück Papier,
In jedem Zirkusseehund wurdest du geschunden,
Und Hure warst du manchem Kavalier!

O Herr, zerreiße mich!
Was soll dies dumpfe, klägliche Genießen?
Ich bin nicht wert, daß deine Wunden fließen.
Begnade mich mit Martern, Stich um Stich!
Ich will den Tod der ganzen Welt einschließen.
O Herr, zerreiße mich!

Bis daß ich erst in jedem Lumpen starb,
In jeder Katz und jedem Gaul verreckte,
Und ein Soldat, im Wüstendurst verdarb,
Bis, grauser Sünder, ich das Sakrament weh auf der
                                    Zunge schmeckte,
Bis ich den aufgefreßnen Leib aus bitterm Bette streckte,
Nach der Gestalt, die ich verhöhnt umwarb!

Und wenn ich erst zerstreut bin in den Wind,
In jedem Ding bestehend, ja im Rauche,
Dann lodre auf, Gott, aus dem Dornenstrauche.
(Ich bin dein Kind.)
Du auch, Wort, praßle auf, das ich in Ahnung brauche!
Geuß unverzehrbar dich durchs All: Wir sind!!

Lächeln Atmen Schreiten

Schöpfe du, trage du, halte
Tausend Gewässer des Lächelns in deiner Hand!
Lächeln, selige Feuchte ist ausgespannt
All übers Antlitz.

Lächeln ist keine Falte,
Lächeln ist Wesen vom Licht.
Durch die Räume bricht Licht, doch ist es noch nicht.
Nicht die Sonne ist Licht,
Erst im Menschengesicht
Wird das Licht als Lächeln geboren.
Aus den tönenden, leicht, unsterblichen Toren,
Aus den Toren der Augen wallte
Frühling zum erstenmal, Himmelsgischt,
Lächelns nieglühender Brand.
Im Regenbrand des Lächelns spüle die alte Hand,
Schöpfe du, trage du, halte!

Lausche du, horche du, höre!
In der Nacht ist der Einklang des Atems los,
Der Atem, die Eintracht des Busens groß.
Atem schwebt
Über Feindschaft finsterer Chöre.
Atem ist Wesen vom höchsten Hauch.
Nicht der Wind, der sich taucht
In Weid, Wald und Strauch,
Nicht das Wehn, vor dem die Blätter sich drehn . . .
Gottes Hauch wird im Atem der Menschen geboren.
Aus den Lippen, den schweren,
Verhangen, dunkel, unsterblichen Toren,
Fährt Gottes Hauch, die Welt zu bekehren.
Auf dem Windmeer des Atems hebt an
Die Segel zu brüsten im Rausche,
Der unendlichen Worte nächtlich beladener Kahn.
Horche du, höre du, lausche!

Sinke hin, knie hin, weine!
Sieh der Geliebten erdenlos schwindenden Schritt!
Schwinge dich hin, schwinde ins Schreiten mit!
Schreiten entführt
Alles ins Reine, alles ins Allgemeine.

Schreiten ist mehr als Lauf und Gang,
Der sternenden Sphäre Hinauf und Entlang,
Mehr als des Raumes tanzender Überschwang.
Im Schreiten der Menschen wird die Bahn der Freiheit
geboren.
Mit dem Schreiten der Menschen tritt
Gottes Anmut und Wandel aus allen Herzen und Toren.
Lächeln, Atem und Schritt
Sind mehr als des Lichtes, des Windes, der Sterne Bahn,
Die Welt fängt im Menschen an.
Im Lächeln, im Atem, im Schritt der Geliebten ertrinke!
Weine hin, kniee hin, sinke!

Der gute Mensch

Sein ist die Kraft, das Regiment der Sterne,
Er hält die Welt, wie eine Nuß in Fäusten,
Unsterblich schlingt sich Lachen um sein Antlitz,
Krieg ist sein Wesen und Triumph sein Schritt.

Und wo er ist und seine Hände breitet,
Und wo sein Ruf tyrannisch niederdonnert,
Zerbricht das Ungerechte aller Schöpfung,
Und alle Dinge werden Gott und eins.

Unüberwindlich sind des Guten Tränen,
Baustoff der Welt und Wasser der Gebilde.
Wo seine guten Tränen niedersinken,
Verzehrt sich jede Form und kommt zu sich.

Gar keine Wut ist seiner zu vergleichen.
Er steht im Scheiterhaufen seines Lebens,
Und ihm zu Füßen ringelt sich verloren
Der Teufel, ein zertretner Feuerwurm.

Und fährt er hin, dann bleiben ihm zur Seite,
Zwei Engel, die das Haupt in Sphären tauchen,
Und brüllen jubelnd unter Gold und Feuer,
Und schlagen donnernd ihre Schilde an.

Jesus und der Äser-Weg

Und als wir gingen von dem toten Hund,
Von dessen Zähnen mild der Herr gesprochen,
Entführte er uns diesem Meeres-Sund
Den Berg empor, auf dem wir keuchend krochen.

Und als der Herr zuerst den Gipfel trat,
Und wir schon standen auf den letzten Sprossen,
Verwies er uns zu Füßen Pfad an Pfad,
Und Wege, die im Sturm zur Fläche schossen.

Doch einer war, den jeder sanft erfand,
Und leiser jeder sah zu Tale fließen.
Und wie der Heiland süß sich umgewandt,
Da riefen wir und schrieen: Wähle diesen!

Er neigte nur das Haupt und ging voran,
Indes wir uns verzückten, daß wir lebten,
Von Luft berührt, die Grün in Grün zerrann,
Von Eich' und Mandel, die vorüberschwebten.

Doch plötzlich bäumte sich vor unserem Lauf
Zerfreßne Mauer und ein Tor inmitten.
Der Heiland stieß die dumpfe Pforte auf,
Und wartete bis wir hindurchgeschritten.

Und da geschah, was uns die Augen schloß,
Was uns wie Stämme auf die Stelle pflanzte,

Denn greulich vor uns, wildverschlungen floß
Ein Strom von Aas, auf dem die Sonne tanzte.

Verbissene Ratten schwammen im Gezücht
Von Schlangen, halb von Schärfe aufgefressen,
Verweste Reh' und Esel und ein Licht
Von Pest und Fliegen drüber unermessen.

Ein schweflig Stinken und so ohne Maß
Aufbrodelte aus den verruchten Lachen,
Daß wir uns beugten übers gelbe Gras
Und uns vor uferloser Angst erbrachen.

Der Heiland aber hob sich auf und schrie
Und schrie zum Himmel, rasend ohne Ende:
„Mein Gott und Vater, höre mich und wende
Dies Grauen von mir und begnade die!

Ich nannt mich Liebe und nun packt mich auch
Dies Würgen vor dem scheußlichsten Gesetze.
Ach, ich bin eitler, als die kleinste Metze
Und schnöder bin ich, als der letzte Gauch!

Mein Vater du, so du mein Vater bist,
Laß mich doch lieben dies verweste Wesen,
Laß mich im Aase dein Erbarmen lesen!
Ist das denn Liebe, wo noch Ekel ist?!"

Und siehe! Plötzlich brauste sein Gesicht
Von jenen Jagden, die wir alle kannten,
Und daß wir uns geblendet seitwärts wandten,
Verfing sich seinem Scheitel Licht um Licht!

Er neigte wild sich nieder und vergrub
Die Hände ins verderbliche Geziefer,

Und ach, von Rosen ein Geruch, ein tiefer,
Von seiner Weiße sich erhub.

Er aber füllte seine Haare aus
Mit kleinem Aas und kränzte sich mit Schleichen,
Aus seinem Gürtel hingen hundert Leichen,
Von seiner Schulter Ratt und Fledermaus.

Und wie er so im dunkeln Tage stand,
Brachen die Berge auf, und Löwen weinten
An seinem Knie, und die zum Flug vereinten
Wildgänse brausten nieder unverwandt.

Vier dunkle Sonnen tanzten lind,
Ein breiter Strahl war da, der nicht versiegte.
Der Himmel barst. – Und Gottes Taube wiegte
Begeistert sich im blauen Riesen-Wind.

Trinklied

Wir sind wie Trinker,
Gelassen über unsern Mord gebeugt.
In schattiger Ausflucht
Wanken wir dämmernd.
Welch ein Geheimnis da?
Was klopft von unten da?
Nichts, kein Geheimnis da,
Nichts da klopft an.

Laß du uns leben!
Daß wir uns stärken an letzter Eitelkeit,
Die gut trunken macht und dumpf!
Laß uns die gute Lüge,
Die wohlernährende Heimat!
Woher wir leben?

Wir wissen's nicht ...
Doch reden wir hinüber, herüber
Zufälliges Zungenwort.

Wir wollen nicht die Arme sehn,
Die nachts aus schwarzem Flusse stehn.
Ist tiefer Wald in uns,
Glockenturm über Wipfeln?
Hinweg, hinweg!
Wir leben hin und her.
Reich du voll schwarzen Schlafes uns den Krug!
Laß du uns leben nur,
Und trinken laß uns, trinken!

Doch wenn ihr wachtet!
Wenn ich wachte über meinem Mord!
Wie flöhen die Füße mir!
Unter den Ulmen hier wär' ich nicht.
An keiner Stätte wäre ich.
Die Bäume bräunten sich,
Wie Henker stünden die Felsen!
In jedes Feuer würf' ich mich,
Schmerzlicher zu zerglühn!

Trinker sind wir über unserem Mord.
Wort deckt uns warm zu.
Dämmerung und in die Lampe Sehn!
Ist kein Geheimnis da?
Nein, nichts da!
Kommt denn und singt ihr!
Und ihr mit Kastagnetten, Tänzerinnen!
Herbei! Wir wissen nichts.
Kämpfen wollen wir und spielen.
Nur trinken, trinken laß du uns!

RENÉ SCHICKELE

Abschwur

Ich schwöre ab:
jegliche Gewalt,
jedweden Zwang,
und selbst den Zwang,
zu andern gut zu sein.
Ich weiß:
ich zwänge nur den Zwang.
Ich weiß:
das Schwert ist stärker
als das Herz,
der Schlag dringt tiefer
als die Hand,
Gewalt regiert,
was gut begann,
zum bösen.

Wie ich die Welt will,
muß ich selber erst
und ganz und ohne Schwere werden.
Ich muß ein Lichtstrahl werden,
ein klares Wasser
und die reinste Hand,
zu Gruß und Hilfe dargeboten.

Stern am Abend prüft den Tag,
Nacht wiegt mütterlich den Tag.
Stern am Morgen dankt der Nacht.
Tag strahlt.
Tag um Tag
sucht Strahl um Strahl.
Strahl an Strahl
wird Licht,

ein helles Wasser strebt zum andern,
weithin verzweigte Hände
schaffen still den Bund.

Pfingsten

Die Engel unsrer Mütter
sind auf die Straße gestiegen.
Das Raufherz der Väter
stiller schlägt.
Feurige Zungen fliegen
oder sind wie Kränze
auf Stirnen gelegt.

Gehör und Gesicht kennen keine Grenze,
wir sprechen mit Mensch und Tier.
Was unser Blick trifft, antwortet: „Wir".
Die Kiesel am Weg sind schallende Lieder,
jeder Pulsschlag kommt von weither wieder,
Blühendes strebt, von keinen Flammen beschwingt.

Die Fische schaukeln den Himmel auf ihren Flossen
und sind von blitzenden Horizonten umringt,
Sonne tanzt auf dem Rücken der Hunde.
Jedes ist nach Gottes Gesicht in Licht gegossen
und weiß es in dieser einzigen Stunde
und erkennt Bruder und Schwester und singt.

Gottfried von Straßburg

In den stark und klugen Zärtlichkeiten
und gelebten Liebesträumen
gallischer Konzerte aufgewachsen,
schrieb er rotdurchpulstes blankes Deutsch,
so schlank wie Schwert und Frauen.

Er kannte alle Jahreszeiten
und mochte nichts versäumen.
Sah wurzelhaft Wildes
mit lichtgebadeten Augen,
sie mußten sich mit aller Lust der Welt
vollsaugen.
Es sollte nichts Lebendiges verderben.
Und legte er, in seinen Bildern gefangen,
die Schreiberhand auf sein Herz,
fühlte er den Schlag von Tristans Herz
aus Spielen der Anmut und der Kraft
sich bäumen,
und die Wut zu sterben
brach wie schwarzes Blut
aus seinem schönen Schmerz.

So wußte er zu leben.
So liebte er zu leben.
Sein Fuß ging leicht und schnell
wie sein Blick,
sein Herz klang hell,
ein Glockenspiel im Urwald,
Äolsharfe in Gewittern.
Unendlich süß zwischen zwei Windstößen
und also fortklingend
im endlich beruhigten Abend.

ERNST STADLER

Der Spruch

In einem alten Buche stieß ich auf ein Wort,
Das traf mich wie ein Schlag und brennt durch meine Tage
fort:

Und wenn ich mich an trübe Lust vergebe,
Schein, Lug und Spiel zu mir anstatt des Wesens hebe,
Wenn ich gefällig mich mit raschem Sinn belüge,
Als wäre Dunkles klar, als wenn nicht Leben tausend wild
     verschlossne Tore trüge,
Und Worte wiederspreche, deren Weite nie ich ausgefühlt,
Und Dinge fasse, deren Sein mich niemals aufgewühlt,
Wenn mich willkommner Traum mit Sammethänden streicht,
Und Tag und Wirklichkeit von mir entweicht,
Der Welt entfremdet, fremd dem tiefsten Ich,
Dann steht das Wort mir auf: Mensch, werde wesentlich!

Vorfrühling

In dieser Märznacht trat ich spät aus meinem Haus.
Die Straßen waren aufgewühlt von Lenzgeruch und grünem
     Saatregen.
Winde schlugen an. Durch die verstörte Häusersenkung gieng
     ich weit hinaus
Bis zu dem unbedeckten Wall und spürte: meinem Herzen
     schwoll ein neuer Takt entgegen.

In jedem Lufthauch war ein junges Werden ausgespannt.
Ich lauschte, wie die starken Wirbel mir im Blute rollten.
Schon dehnte sich bereitet Acker. In den Horizonten einge-
     brannt
War schon die Bläue hoher Morgenstunden, die ins Weite
     führen sollten.

Die Schleusen knirschten. Abenteuer brach aus allen Fernen.
Überm Kanal, den junge Ausfahrtwinde wellten, wuchsen
     helle Bahnen,
In deren Licht ich trieb. Schicksal stand wartend in umwehten
     Sternen.
In meinem Herzen lag ein Stürmen wie von aufgerollten
     Fahnen.

Form ist Wollust

Form und Riegel mußten erst zerspringen,
Welt durch aufgeschlossne Röhren dringen:
Form ist Wollust, Friede, himmlisches Genügen,
Doch mich reißt es, Ackerschollen umzupflügen.
Form will mich verschnüren und verengen,
Doch ich will mein Sein in alle Weiten drängen –
Form ist klare Härte ohn' Erbarmen,
Doch mich treibt es zu den Dumpfen, zu den Armen,
Und in grenzenlosem Michverschenken
Will mich Leben mit Erfüllung tränken.

Abendschluß

Die Uhren schlagen sieben. Nun gehen überall in der Stadt
    die Geschäfte aus.
Aus schon umdunkelten Hausfluren, durch enge Winkelhöfe
    aus protzigen Hallen drängen sich die Verkäuferinnen
    heraus.
Noch ein wenig blind und wie betäubt vom langen Ein-
    geschlossensein
Treten sie, leise erregt, in die wollüstige Helle und die sanfte
    Offenheit des Sommerabends ein.
Griesgrämige Straßenzüge leuchten auf und schlagen mit
    einem Male helleren Takt,
Alle Trottoirs sind eng mit bunten Blusen und Mädchenge-
    lächter vollgepackt.
Wie ein See, durch den das starke Treiben eines jungen
    Flusses wühlt,
Ist die ganze Stadt von Jugend und Heimkehr überspült.
Zwischen die gleichgiltigen Gesichter der Vorübergehenden
    ist ein vielfältiges Schicksal gestellt –
Die Erregung jungen Lebens, vom Feuer dieser Abendstunde
    überhellt,

In deren Süße alles Dunkle sich verklärt und alles Schwere
      schmilzt, als wär es leicht und frei,
Und als warte nicht schon, durch wenig Stunden getrennt,
      das triste Einerlei
Der täglichen Frohn – als warte nicht Heimkehr, Gewinkel
      schmutziger Vorstadthäuser, zwischen nackte Miets-
      kasernen gekeilt,
Karges Mahl, Beklommenheit der Familienstube und die enge
      Nachtkammer, mit den kleinen Geschwistern geteilt,
Und kurzer Schlaf, den schon die erste Frühe aus dem
      Goldland der Träume hetzt –
All das ist jetzt ganz weit – von Abend zugedeckt – und
      doch schon da, und wartend wie ein böses Tier, das
      sich zur Beute niedersetzt,
Und selbst die Glücklichsten, die leicht mit schlankem Schritt
Am Arm des Liebsten tänzeln, tragen in der Einsamkeit der
      Augen einen fernen Schatten mit.
Und manchmal, wenn von ungefähr der Blick der Mädchen
      im Gespräch zu Boden fällt,
Geschieht es, daß ein Schreckgesicht mit höhnischer Grimasse
      ihrer Fröhlichkeit den Weg verstellt.
Dann schmiegen sie sich enger, und die Hand erzittert, die
      den Arm des Freundes greift,
Als stände schon das Alter hinter ihnen, das ihr Leben dem
      Verlöschen in der Dunkelheit entgegenschleift.

Fahrt über die Kölner Rheinbrücke bei Nacht

Der Schnellzug tastet sich und stößt die Dunkelheit entlang.
Kein Stern will vor. Die ganze Welt ist nur ein enger,
      nachtumschienter Minengang,
Darein zuweilen Förderstellen blauen Lichtes jähe Horizonte
      reißen: Feuerkreis
Von Kugellampen, Dächern, Schloten, dampfend, strömend..
      nur sekundenweis..

Und wieder alles schwarz. Als führen wir ins Eingeweid der
    Nacht zur Schicht.
Nun taumeln Lichter her .. verirrt, trostlos vereinsamt ..
    mehr .. und sammeln sich .. und werden dicht.
Gerippe grauer Häuserfronten liegen bloß, im Zwielicht blei-
    chend, tot – etwas muß kommen .. o, ich fühl es schwer
Im Hirn. Eine Beklemmung singt im Blut. Dann dröhnt der
    Boden plötzlich wie ein Meer:
Wir fliegen, aufgehoben, königlich durch nachtentrissne Luft,
    hoch übern Strom. O Biegung der Millionen Lichter,
    stumme Wacht,
Vor deren blitzender Parade schwer die Wasser abwärts
    rollen. Endloses Spalier, zum Gruß gestellt bei Nacht!
Wie Fackeln stürmend! Freudiges! Salut von Schiffen über
    blauer See! Bestirntes Fest!
Wimmelnd, mit hellen Augen hingedrängt! Bis wo die Stadt
    mit letzten Häusern ihren Gast entläßt.
Und dann die langen Einsamkeiten. Nackte Ufer. Stille. Nacht.
    Besinnung. Einkehr. Kommunion. Und Glut und Drang
Zum Letzten, Segnenden. Zum Zeugungsfest. Zur Wollust.
    Zum Gebet. Zum Meer. Zum Untergang.

Meer

Ich mußte gleich zum Strand. In meinem Blute scholl
Schon Meer. O schon den ganzen Tag. Und jetzt die Fahrt im
    gelbumwitterten Vorfrühlingsabend. Rastlos schwoll
Es auf und reckte sich in einer jähen frevelhaften Süße, wie
    im Spiel
Sich Geigen nach den süßen Himmelswiesen recken. Dunkel
    lag der Kai. Nachtwinde wehten. Regen fiel ..
Die Böschung abwärts .. durch den Sand .. zu dir, du Flut
    und Wollust schwemmende Musik,
Du treibend Glück, du Orgellied, bräutlicher Chor! Zu meinen
    Füßen

Knirschen die Muscheln .. weicher Sand .. wie Seidenmatten
    weich .. ich will dich grüßen,
Du lang Entbehrtes! O der Salzgeschmack, wenn ich die
    Hände, die der Schaum bespritzte, an die Lippen
    hebe ..
Viel Dunkles fällt. Es springen Riegel. Bilder steigen. Um
    mich wird es rein. Ich schwebe
Durch Felder tiefer Bläue. Viele Tag' und Nächte bauen
Sich vor mich hin wie Träume. Fern Verschollnes. Fahrten
    übers Meer, durch Sternennächte. Durch die Nebel.
    Morgengrauen
Bei Dover .. blaues Geisterlicht um Burg und Shakespeare's-
    Cliff, die sich der Nacht entrafften,
Und blaß gekerbte Kreidefelsen, die wie Kiefer eines toten
    Ungeheuers klaffen.
Sternhelle Nacht weit draußen auf der Landungsbrücke, wo
    die Wellen
Wie vom Herzfeuer ihrer Sehnsucht angezündet, Funken
    schleudernd, an den braunen Bohlen sich zerschellen.
Und blauer Sommer: Sand und Kinder. Bunte Wimpel. Sonne
    überm Meer, das blüht und grünt wie eine Frühlingsau.
Und Wanderungen, fern an Englands Strand, mit der gelieb-
    ten Frau.
Und Mitternacht im Hafen von Southampton: schwer ver-
    hängte Nacht, darin wie Blut das Feuer der Kamine
    loht,
Und auf dem Schiff der Vater .. langsam bricht es in das
    Schwarz, nach Frankreich zu .. und wenig Monde
    später war er tot ..
Und immer diese endlos hingestreckten Horizonte. Immer
    dies Getön: frohlockender und kämpfender Choral –
Du jedem Traum verschwistert! Du in jeder Lust und jeder
    Qual!
Du Tröstendes! Du Sehnsucht Zeugendes! In dir verklärt
Sich jeder Wunsch, der in die Himmel meiner Schicksalsfernen
    fährt,

Und jedes Herzensheimweh nach der Frau, die jetzt im
      hingewühlten Bette liegt,
Und leidet, und zu der mein Blut wie eine Möwe, heftige
      Flügel schlagend, fliegt.
Du Hingesenktes, Schlummertiefes! Horch, dein Atem sänftigt
      meines Herzens Schlag!
Du Sturm, du Schrei, aufreißend Hornsignal zum Kampf, du
      trägst auf weißen Rossen mich zu Tat und Tag!
Du Rastendes! Du feierlich Bewegtes, Nacktes, Ewiges! Du
      hältst die Hut
Über mein Leben, das im Schachte deines Mutterschoßes
      eingebettet ruht.

✳ *Ballhaus*

Farbe prallt in Farbe wie die Strahlen von Fontänen, die
      ihr Feuer ineinanderschießen,
Im Geflitter hochgeraffter Röcke und dem Bausch der bunten
      Sommerblusen. Rings von allen Wänden, hundert-
      fältig
Ausgeteilt, strömt Licht. Die Flammen, die sich zuckend in
      den Wirbel gießen,
Stehen, höher, eingesammelt, in den goldgefaßten Spiegeln,
      fremd und hinterhältig,
Wie erstarrt und Regung doch in grenzenlose Tiefen weiter-
      leitend, Leben, abgelöst und fern und wieder eins
      und einig mit den Paaren,
Die im Bann der immer gleichen Melodien, engverschmiegt,
      mit losgelassnen Gliedern schreitend,
Durcheinanderquirlen: Frauen, die geschminkten Wangen
      rot behaucht, mit halb gelösten Haaren,
Taumelnd, nur die Augen ganz im Grund ein wenig matt,
      die in das Dunkel leerer Stunden laden,
Während ihre Körper sich im Takt unkeuscher Gesten inein-
      anderneigen,

Ernsthaft und voll Andacht: und sie tanzen, gläubig blickend,
    die Balladen
Müd gebrannter Herzen, lüstern und verspielt, und vom
    Geplärr der Geigen
Wie von einer zähen lauen Flut umschwemmt. Zuweilen
    kreischt ein Schrei. Ein Lachen gellt. Die Schwebe,
In der die Paare, unsichtbar gehalten, schaukeln, schwankt.
    Doch immer, wie in traumhaft irrem Schwung
Schnurrt der Rhythmus weiter durch den überhitzten Saal...
    Daß nur kein Windzug jetzt die roten Samtportieren
    hebe,
Hinter denen schon der Morgen wartet, grau, hager, fahl...
    bereit, in kaltem Sprung,
Die Brüstung übergreifend, ins Parkett zu gleiten, daß die
    heißgetanzten Reihen jählings stocken, Traum und
    Tanz zerbricht,
Und während noch die Walzerweise sinnlos leiernd weiter-
    tönt,
Tag einströmt und die dicke Luft von Schweiß, Parfum und
    umgegossnem Wein zerreißt, und durch das harte
    Licht,
Fernher rollend, ehern, stark und klar, das Arbeitslied der
    großen Stadt durch plötzlich aufgerissene Fenster
    dröhnt.

ERNST WILHELM LOTZ

Hart stoßen sich die Wände in den Straßen...

Hart stoßen sich die Wände in den Straßen,
Vom Licht gezerrt, das auf das Pflaster keucht,
Und Kaffeehäuser schweben im Geleucht
Der Scheiben, hoch gefüllt mit wiehernden Grimassen.

Wir sind nach Süden krank, nach Fernen, Wind,
Nach Wäldern, fremd von ungekühlten Lüsten,
Und Wüstengürteln, die voll Sommer sind,
Nach weißen Meeren, brodelnd an besonnte Küsten.

Wir sind nach Frauen krank, nach Fleisch und Poren,
Es müßten Pantherinnen sein, gefährlich zart,
In einem wild gekochten Fieberland geboren.
Wir sind versehnt nach Reizen unbekannter Art.

Wir sind nach Dingen krank, die wir nicht kennen.
Wir sind sehr jung. Und fiebern noch nach Welt.
Wir leuchten leise. – Doch wir könnten brennen.
Wir suchen immer Wind, der uns zu Flammen schwellt.

Licht

Licht umzieht mich, umsingt mich, umfließt mich,
Spielend lasse ich meine Glieder im Fließenden plätschern –
Ein blankes Bassin umspannt mich die Straße,
Weit, weich, wiegend
Ich wasche mich ganz rein.
Aus euren Köpfen, ihr schwimmenden Straßenwanderer,
Die ihr nichts von mir wißt,
Gebrauche ich schimmerndes Augenweiß, meinen Leib zu
                                            bedecken,
Hell zu beschäumen,
Meinen jung sich hinbiegenden Schwimmerleib.
O wie ich hinfließe im Licht,
O wie ich zergehe,
Wie ich mich durchsichtig singe im Licht.

Meine Nächte sind heiser zerschrieen ...

Meine Nächte sind heiser zerschrieen.
Eine Wunde, die riß. Ein Mund
Zerschneidet gläsernes Weh.
Zum Fenster flackerte ein Schrei herein
Voll Sommer, Laub und Herz.
Ein Weinen kam. Und starke Adern drohten.
Ein Gram schwebt immer über unsern Nächten.
Wir zerren an den Decken
Und rufen Schlaf. Ein Strom von Blut wellt auf.
Und spült uns hoch, wenn spät der Morgen grünt.

Aufbruch der Jugend

Die flammenden Gärten des Sommers, Winde, tief und voll
                         Samen,
Wolken, dunkel gebogen, und Häuser, zerschnitten vom Licht.
Müdigkeiten, die aus verwüsteten Nächten über uns kamen,
Köstlich gepflegte, verwelkten wie Blumen, die man sich
                         bricht.

Also zu neuen Tagen erstarkt wir spannen die Arme,
Unbegreiflichen Lachens erschüttert, wie Kraft, die sich staut,
Wie Truppenkolonnen, unruhig nach Ruf der Alarme,
Wenn hoch und erwartet der Tag überm Osten blaut.

Grell wehen die Fahnen, wir haben uns heftig entschlossen,
Ein Stoß ging durch uns, Not schrie, wir rollen geschwellt,
Wie Sturmflut haben wir uns in die Straßen der Städte
                         ergossen
Und spülen vorüber die Trümmer zerborstener Welt.

Wir fegen die Macht und stürzen die Throne der Alten,
Vermoderte Kronen bieten wir lachend zu Kauf,

Wir haben die Türen zu wimmernden Kasematten zerspalten
Und stoßen die Tore verruchter Gefängnisse auf.

Nun kommen die Scharen Verbannter, sie strammen die
                                        Rücken,
Wir pflanzen Waffen in ihre Hand, die sich fürchterlich
                                        krampft,
Von roten Tribünen lodert erzürntes Entzücken,
Und türmt Barrikaden, von glühenden Rufen umdampft.

Beglänzt von Morgen, wir sind die verheißnen Erhellten,
Von jungen Messiaskronen das Haupthaar umzackt,
Aus unsern Stirnen springen leuchtende, neue Welten,
Erfüllung und Künftiges, Tage, Sturmüberflaggt!

Berlin

GEORG HEYM

Berlin I
(Letzte Fassung)

Der hohe Straßenrand, auf dem wir lagen,
War weiß von Staub. Wir sahen in der Enge
Unzählig: Menschenströme und Gedränge,
Und sahn die Weltstadt fern im Abend ragen.

Die vollen Kremser fuhren durch die Menge,
Papierne Fähnchen waren drangeschlagen.
Die Omnibusse, voll Verdeck und Wagen.
Automobile, Rauch und Huppenklänge.

Dem Riesensteinmeer zu. Doch westlich sahn
Wir an der langen Straße Baum an Baum,
Der blätterlosen Kronen Filigran.

Der Sonnenball hing groß am Himmelssaum.
Und rote Strahlen schoß des Abends Bahn.
Auf allen Köpfen lag des Lichtes Traum.

Die Vorstadt

In ihrem Viertel, in dem Gassenkot,
Wo sich der große Mond durch Dünste drängt,

Und sinkend an dem niedern Himmel hängt,
Ein ungeheurer Schädel, weiß und tot,

Da sitzen sie die warme Sommernacht
Vor ihrer Höhlen schwarzer Unterwelt,
Im Lumpenzeuge, das vor Staub zerfällt
Und aufgeblähte Leiber sehen macht.

Hier klafft ein Maul, das zahnlos auf sich reißt.
Hier hebt sich zweier Arme schwarzer Stumpf.
Ein Irrer lallt die hohlen Lieder dumpf,
Wo hockt ein Greis, des Schädel Aussatz weißt.

Es spielen Kinder, denen früh man brach
Die Gliederchen. Sie springen an den Krücken
Wie Flöhe weit und humpeln voll Entzücken
Um einen Pfennig einem Fremden nach.

Aus einem Keller kommt ein Fischgeruch,
Wo Bettler starren auf die Gräten böse.
Sie füttern einen Blinden mit Gekröse.
Er speit es auf das schwarze Hemdentuch.

Bei alten Weibern löschen ihre Lust
Die Greise unten, trüb im Lampenschimmer,
Aus morschen Wiegen schallt das Schreien immer
Der magren Kinder nach der welken Brust.

Ein Blinder dreht auf schwarzem, großem Bette
Den Leierkasten zu der Carmagnole,
Die tanzt ein Lahmer mit verbundener Sohle.
Hell klappert in der Hand die Kastagnette.

Uraltes Volk schwankt aus den tiefen Löchern,
An ihre Stirn Laternen vorgebunden.
Bergmännern gleich, die alten Vagabunden.
Um einen Stock die Hände, dürr und knöchern.

Auf Morgen geht's. Die hellen Glöckchen wimmern
Zur Armesündermette durch die Nacht.
Ein Tor geht auf. In seinem Dunkel schimmern
Eunuchenköpfe, faltig und verwacht.

Vor steilen Stufen schwankt des Wirtes Fahne,
Ein Totenkopf mit zwei gekreuzten Knochen.
Man sieht die Schläfer ruhn, wo sie gebrochen
Um sich herum die höllischen Arkane.

Am Mauertor, in Krüppeleitelkeit
Bläht sich ein Zwerg in rotem Seidenrocke,
Er schaut hinauf zur grünen Himmelsglocke,
Wo lautlos ziehn die Meteore weit.

Ophelia

I

Im Haar ein Nest von jungen Wasserratten,
Und die beringten Hände auf der Flut
Wie Flossen, also treibt sie durch den Schatten
Des großen Urwalds, der im Wasser ruht.

Die letzte Sonne, die im Dunkel irrt,
Versenkt sich tief in ihres Hirnes Schrein.
Warum sie starb? Warum sie so allein
Im Wasser treibt, das Farn und Kraut verwirrt?

Im dichten Röhricht steht der Wind. Er scheucht
Wie eine Hand die Fledermäuse auf.
Mit dunklem Fittich, von dem Wasser feucht
Stehn sie wie Rauch im dunklen Wasserlauf,

Wie Nachtgewölk. Ein langer, weißer Aal
Schlüpft über ihre Brust. Ein Glühwurm scheint

Auf ihrer Stirn. Und eine Weide weint
Das Laub auf sie und ihre stumme Qual.

II

Korn. Saaten. Und des Mittags roter Schweiß.
Der Felder gelbe Winde schlafen still.
Sie kommt, ein Vogel, der entschlafen will.
Der Schwäne Fittich überdacht sie weiß.

Die blauen Lider schatten sanft herab.
Und bei der Sensen blanken Melodien
Träumt sie von eines Kusses Karmoisin
Den ewigen Traum in ihrem ewigen Grab.

Vorbei, vorbei. Wo an das Ufer dröhnt
Der Schall der Städte. Wo durch Dämme zwingt
Der weiße Strom. Der Widerhall erklingt
Mit weitem Echo. Wo herunter tönt

Hall voller Straßen. Glocken und Geläut.
Maschinenkreischen. Kampf. Wo westlich droht
In blinde Scheiben dumpfes Abendrot,
In dem ein Kran mit Riesenarmen dräut,

Mit schwarzer Stirn, ein mächtiger Tyrann,
Ein Moloch, drum die schwarzen Knechte knien.
Last schwerer Brücken, die darüber ziehn
Wie Ketten auf dem Strom, und harter Bann.

Unsichtbar schwimmt sie in der Flut Geleit.
Doch wo sie treibt, jagt weit den Menschenschwarm
Mit großem Fittich auf ein dunkler Harm,
Der schattet über beide Ufer breit.

Vorbei, vorbei. Da sich dem Dunkel weiht
Der westlich hohe Tag des Sommers spät,

Wo in dem Dunkelgrün der Wiesen steht
Des fernen Abends zarte Müdigkeit.

Der Strom trägt weit sie fort, die untertaucht,
Durch manchen Winters trauervollen Port.
Die Zeit hinab. Durch Ewigkeiten fort,
Davon der Horizont wie Feuer raucht.

Das Fieberspital

I

Die bleiche Leinwand in den vielen Betten
Verschwimmt in kahler Wand im Krankensaal.
Die Krankheiten alle, dünne Marionetten,
Spazieren in den Gängen. Eine Zahl

Hat jeder Kranke. Und mit weißer Kreide
Sind seine Qualen sauber aufnotiert.
Das Fieber donnert. Ihre Eingeweide
Brennen wie Berge. Und ihr Auge stiert

Zur Decke auf, wo ein paar große Spinnen
Aus ihrem Bauche lange Fäden ziehn.
Sie sitzen auf in ihrem kalten Linnen
Und ihrem Schweiß mit hochgezognen Knien.

Sie beißen auf die Nägel ihrer Hand.
Die Falten ihrer Stirn, die rötlich glüht,
Sind wie ein graugefurchtes Ackerland,
Auf dem des Todes großes Frührot blüht.

Sie strecken ihre weißen Arme vor,
Vor Kälte zitternd und vor Grauen stumm.
Schon wälzt ihr Hirn sich schwarz von Ohr zu Ohr
In ungeheurem Wirbel schnell herum.

Dann gähnt in ihrem Rücken schwarz ein Spalt,
Und aus der weißgetünchten Mauerwand
Streckt sich ein Arm. Um ihre Kehle ballt
Sich langsam eine harte Knochenhand.

II

Des Abends Trauer sinkt. Sie hocken stumpf
In ihrer Kissen Schatten. Und herein
Kriecht Wassernebel kalt. Sie hören dumpf
Durch ihren Saal der Qualen Litanein.

Das Fieber kriecht in ihren Lagern um,
Langsam, ein großer, gelblicher Polyp.
Sie schaun ihm zu, von dem Entsetzen stumm.
Und ihre Augen werden weiß und trüb.

Die Sonne quält sich auf dem Rand der Nacht.
Sie blähn die Nasen. Es wird furchtbar heiß.
Ein großes Feuer hat sie angefacht,
Wie eine Blase schwankt ihr roter Kreis.

Auf ihrem Dache sitzt ein Mann im Stuhl
Und droht den Kranken mit dem Eisenstab.
Darunter schaufeln in dem heißen Pfuhl
Die Nigger schon ihr tiefes, weißes Grab.

Die Leichenträger gehen durch die Reihen
Und reißen schnell die Toten aus dem Bett.
Die andern drehn sich nach der Wand mit Schreien
Der Angst, der Toten gräßlichem Valet.

Moskitos summen. Und die Luft beginnt
Vor Glut zu schmelzen. Wie ein roter Kropf
Schwillt auf ihr Hals, darinnen Lava rinnt.
Und wie ein Ball von Feuer dröhnt ihr Kopf.

Sie machen sich von ihren Hemden los
Und ihren Decken, die sie naß umziehn.
Ihr magrer Leib, bis auf den Nabel bloß,
Wiegt hin und her im Takt der Phantasien.

Das Floß des Todes steuert durch die Nacht
Heran durch Meere Schlamms und dunkles Moor.
Sie hören bang, wie seine Stange kracht
Lauthallend unten am Barackentor.

Zu einem Bette kommt das Sakrament.
Der Priester salbt dem Kranken Stirn und Mund.
Der Gaumen, der wie rotes Feuer brennt,
Würgt mühsam die Oblate in den Schlund.

Die Kranken horchen auf der Lagerstatt
Wie Kröten, von dem Lichte rot gefleckt.
Die Betten sind wie eine große Stadt,
Die eines schwarzen Himmels Rätsel deckt.

Der Priester singt. In grauser Parodie
Krähn sie die Worte nach in dem Gebet.
Sie lachen laut, die Freude schüttelt sie.
Sie halten sich den Bauch, den Lachen bläht.

Der Priester kniet sich an der Bettstatt Rand.
In das Brevier taucht er die Schultern ein.
Der Kranke setzt sich auf. In seiner Hand
Dreht er im Kreise einen spitzen Stein.

Er schwingt ihn hoch, haut zu. Ein breiter Riß
Klafft auf des Priesters Kopf, der rückwärts fällt.
Und es erfriert sein Schrei auf dem Gebiß,
Das er im Tode weit noch offen hält.

Georg Heym

Der Gott der Stadt

Auf einem Häuserblocke sitzt er breit.
Die Winde lagern schwarz um seine Stirn.
Er schaut voll Wut, wo fern in Einsamkeit
Die letzten Häuser in das Land verirrn.

Vom Abend glänzt der rote Bauch dem Baal,
Die großen Städte knien um ihn her.
Der Kirchenglocken ungeheure Zahl
Wogt auf zu ihm aus schwarzer Türme Meer.

Wie Korybanten-Tanz dröhnt die Musik
Der Millionen durch die Straßen laut.
Der Schlote Rauch, die Wolken der Fabrik
Ziehn auf zu ihm, wie Duft von Weihrauch blaut.

Das Wetter schwelt in seinen Augenbrauen.
Der dunkle Abend wird in Nacht betäubt.
Die Stürme flattern, die wie Geier schauen
Von seinem Haupthaar, das im Zorne sträubt.

Er streckt ins Dunkel seine Fleischerfaust.
Er schüttelt sie. Ein Meer von Feuer jagt
Durch eine Straße. Und der Glutqualm braust
Und frißt sie auf, bis spät der Morgen tagt.

Deine Wimpern, die langen ...

An Hildegard K.

Deine Wimpern, die langen,
Deiner Augen dunkele Wasser,
Laß mich tauchen darein,
Laß mich zur Tiefe gehn.

Steigt der Bergmann zum Schacht
Und schwankt seine trübe Lampe
Über der Erze Tor,
Hoch an der Schattenwand,

Sieh, ich steige hinab,
In deinem Schoß zu vergessen,
Fern, was von oben dröhnt,
Helle und Qual und Tag.

An den Feldern verwächst,
Wo der Wind steht, trunken vom Korn,
Hoher Dorn, hoch und krank
Gegen das Himmelsblau.

Gib mir die Hand,
Wir wollen einander verwachsen,
Einem Wind Beute,
Einsamer Vögel Flug,

Hören im Sommer
Die Orgel der matten Gewitter,
Baden in Herbsteslicht,
Am Ufer des blauen Tags.

Manchmal wollen wir stehn
Am Rand des dunkelen Brunnens,
Tief in die Stille zu sehn,
Unsere Liebe zu suchen.

Oder wir treten hinaus
Vom Schatten der goldenen Wälder,
Groß in ein Abendrot,
Das dir berührt sanft die Stirn.

Göttliche Trauer,
Schweige der ewigen Liebe.

Hebe den Krug herauf,
Trinke den Schlaf.

Einmal am Ende zu stehen,
Wo Meer in gelblichen Flecken
Leise schwimmt schon herein
Zu der September Bucht.

Oben zu ruhn
Im Hause der durstigen Blumen,
Über die Felsen hinab
Singt und zittert der Wind.

Doch von der Pappel,
Die ragt im Ewigen Blauen,
Fällt schon ein braunes Blatt,
Ruht auf dem Nacken dir aus.

Die Seefahrer

Die Stirnen der Länder, rot und edel wie Kronen
Sahen wir schwinden dahin im versinkenden Tag
Und die rauschenden Kränze der Wälder thronen
Unter des Feuers dröhnendem Flügelschlag.

Die zerflackenden Bäume mit Trauer zu schwärzen,
Brauste ein Sturm. Sie verbrannten, wie Blut,
Untergehend, schon fern. Wie über sterbenden Herzen
Einmal noch hebt sich der Liebe verlodernde Glut.

Aber wir trieben dahin, hinaus in den Abend der Meere,
Unsere Hände brannten wie Kerzen an.
Und wir sahen die Adern darin, und das schwere
Blut vor der Sonne, das dumpf in den Fingern zerrann.

Nacht begann. Einer weinte im Dunkel. Wir schwammen
Trostlos mit schrägem Segel ins Weite hinaus.
Aber wir standen am Borde im Schweigen beisammen
In das Finstre zu starren. Und das Licht ging uns aus.

Eine Wolke nur stand in den Weiten noch lange,
Ehe die Nacht begann, in dem ewigen Raum
Purpurn schwebend im All, wie mit schönem Gesange
Über den klingenden Gründen der Seele ein Traum.

Die neuen Häuser

Im grünen Himmel, der manchmal knallt
Vor Frost im rostigen Westen,
Wo noch ein Baum mit den Ästen
Schreit in den Abend, stehen sie plötzlich, frierend
                  und kalt,
Wie Pilze gewachsen, und strecken in ihren Gebresten
Ihre schwarzen und dünnen Dachsparren himmelan,
Klappernd in ihrer Mauern schäbigem Kleid
Wie ein armes Volk, das vor Kälte schreit.
Und die Diebe schleichen über die Treppen hinan,
Springen oben über die Böden mit schlenkerndem Bein,
Und manchmal flackert heraus ihr Laternenschein.

Der Sonntag

Unter den bauchigen Himmeln, die schwer
Über den Totenacker der Felder gelegt,
Auf hohen Bergen aus Schutte bewegt
Sich die Wandrung der Menschen langsam einher,

Dicke Rücken, große Hüte, unförmlich und alt,
Manchmal behutsam ein riesiger Bauch.

Und hinter ihnen, groß, und verlassen vom Rauch,
Starret der Schornsteine schwarzer Wald.

Über verregnete Wege und Lachen voll Widerschein
Morschen Gewölkes setzen sie hinten ihr Storchenbein,
Ferner, in leere Fernen, und werden klein.

Hier und da, auseinander, wie Striche fein,
Irrend im öden Abend herum.
Und die Löcher der Wolken stehen wie Höhlen rundum.

Die Seiltänzer

Sie gehen über den gespannten Seilen
Und schwanken manchmal fast, als wenn sie fallen.
Und ihre Hände schweben über allen,
Die flatternd in dem leeren Raum verweilen.

Das Haus ist übervoll von tausend Köpfen,
Die wachsen aus den Gurgeln steil, und starren
Wo oben hoch die dünnen Seile knarren.
Und Stille hört man langsam tröpfeln.

Die Tänzer aber gleiten hin geschwinde
Wie weiße Vögel, die die Wandrer narren
Und oben hoch im leeren Baume springen.

Wesenlos, seltsam, wie sie sich verrenken
Und ihre großen Drachenschirme schwingen,
Und dünner Beifall klappert auf den Bänken.

Spitzköpfig kommt er...

Spitzköpfig kommt er über die Dächer hoch
Und schleppt seine gelben Haare nach,

Der Zauberer, der still in die Himmelszimmer steigt
In vieler Gestirne gewundenem Blumenpfad.

Alle Tiere unten im Wald und Gestrüpp
Liegen mit Häuptern sauber gekämmt,
Singend den Mond-Choral. Aber die Kinder
Knien in den Bettchen in weißem Hemd.

Meiner Seele unendliche See
Ebbet langsam in sanfter Flut.
Ganz grün bin ich innen. Ich schwinde hinaus
Wie ein gläserner Luftballon.

JAKOB VAN HODDIS

Aurora

Nach Hause stiefeln wir verstört und alt,
Die grelle, gelbe Nacht hat abgeblüht.
Wir sehn, wie über den Laternen, kalt
Und dunkelblau, der Himmel droht und glüht.

Nun winden sich die langen Straßen, schwer
Und fleckig, bald, im breiten Glanz der Tage.
Die kräftige Aurore bringt ihn her,
Mit dicken, rotgefrornen Fingern, zage.

Weltende

Dem Bürger fliegt vom spitzen Kopf der Hut,
In allen Lüften hallt es wie Geschrei,
Dachdecker stürzen ab und gehn entzwei
Und an den Küsten – liest man – steigt die Flut.

5 Der Sturm ist da, die wilden Meere hupfen
6 An Land, um dicke Dämme zu zerdrücken.
7 Die meisten Menschen haben einen Schnupfen.
8 Die Eisenbahnen fallen von den Brücken.

Kinematograph

Der Saal wird dunkel. Und wir sehn die Schnellen
Der Ganga, Palmen, Tempel auch des Brahma,
Ein lautlos tobendes Familiendrama
Mit Lebemännern dann und Maskenbällen.

Man zückt Revolver. Eifersucht wird rege,
Herr Piefke duelliert sich ohne Kopf.
Dann zeigt man uns mit Kiepe und mit Kropf
Die Älplerin auf mächtig steilem Wege.

Es zieht ihr Pfad sich bald durch Lärchenwälder,
Bald krümmt er sich und dräuend steigt die schiefe
Felswand empor. Die Aussicht in der Tiefe
Beleben Kühe und Kartoffelfelder.

Und in den dunklen Raum – mir ins Gesicht –
Flirrt das hinein, entsetzlich! nach der Reihe!
Die Bogenlampe zischt zum Schluß nach Licht –
Wir schieben geil und gähnend uns ins Freie.

Nachtgesang

Das Abendrot zerriß die blauen Himmel.
Blut fiel aufs Meer. Und Fieber flammten auf.
Die Lampen stachen durch die junge Nacht.
Auf Straßen und in weißen Zimmern hell.

Und Menschen winden sich vom Lichte wund.
Die Strolche schreien. Kleine Kinder schluchzen,
Von Wäldern träumend, ängstlich. Ein Verrückter
Hockt lauernd auf im Bette: Soll ich fliehen?

„Was sind wir aus dem Mutterleib gekrochen
Denn jeder möchte doch ein andrer sein.
Und jeder bohrt dir seine Augen ein
Und drängt sich schamlos ein in deinen Traum
Und seine Glieder sind an deinen Knochen
Als gäb es keinen Raum.

Und Menschen wollen immer noch nicht sterben
Und keiner wallt so einsam wie der Mond.
Und selbst der Mond bedeutet nur Verderben.
Denn seine Liebe wird mit Tod belohnt. –

Tief unter mir erstirbt die kranke Nacht.
Und grauenhaft steigt bald der Morgen auf.
Flugs schlägt er tot das Schwarz.
Was tut er wilder
Als Bruder Gestern, den die Nacht verschlang?"

Trompetenstöße vom verfluchten Berge –
Wann sinken Land und Meer in Gott?

ALFRED LICHTENSTEIN

Der Athlet

Einer ging in zerrissenen Hausschuhen
Hin und her durch das kleine Zimmer,
Das er bewohnte.
Er sann über die Geschehnisse,

Von denen in dem Abendblatt berichtet war.
Und gähnte traurig, wie nur jemand gähnt,
Der viel und Seltsames gelesen hat –
Und der Gedanke überkam ihn plötzlich,
Wie wohl den Furchtsamen die Gänsehaut
Und wie das Aufstoßen den Übersättigten,
Wie Mutterwehen:
Das große Gähnen sei vielleicht ein Zeichen,
Ein Wink des Schicksals, sich zur Ruh zu legen.
Und der Gedanke ließ ihn nicht mehr los.
Und also fing er an, sich zu entkleiden ...

Als er ganz nackt war, hantelte er etwas.

Die Dämmerung

Ein dicker Junge spielt mit einem Teich.
Der Wind hat sich in einem Baum gefangen.
Der Himmel sieht verbummelt aus und bleich,
Als wäre ihm die Schminke ausgegangen.

Auf lange Krücken schief herabgebückt
Und schwatzend kriechen auf dem Feld zwei Lahme.
Ein blonder Dichter wird vielleicht verrückt.
Ein Pferdchen stolpert über eine Dame.

An einem Fenster klebt ein fetter Mann.
Ein Jüngling will ein weiches Weib besuchen.
Ein grauer Clown zieht sich die Stiefel an.
Ein Kinderwagen schreit und Hunde fluchen.

Das Konzert

Die nackten Stühle horchen sonderbar
Beängstigend und still, als gäbe es Gefahr.
Nur manche sind mit einem Mensch bedeckt.

Ein grünes Fräulein sieht oft in ein Buch.
Und einer findet bald ein Taschentuch.
Und <u>Stiefel</u> sind ganz gräßlich angedreckt.

Aus offnem Munde <u>tönt</u> ein alter Mann.
Ein Jüngling blickt ein junges Mädchen an.
Ein Knabe spielt an seinem Hosenknopf.

Auf einem Podium schaukelt sich behend
Ein <u>Leib</u> bei einem ernsten Instrument.
Auf einem <u>Kragen</u> liegt ein blanker Kopf.

<u>Kreischt</u>. Und <u>zerreißt</u>.

Die Fahrt nach der Irrenanstalt I

Auf lauten Linien fallen fette Bahnen
Vorbei an Häusern, die wie Särge sind.
An Ecken kauern Karren mit Bananen.
Nur wenig Mist erfreut ein hartes Kind.

Die Menschenbiester gleiten ganz verloren
Im Bild der Straße, elend grau und grell.
Arbeiter fließen von verkommnen Toren.
Ein müder Mensch geht still in ein Rondell.

Ein Leichenwagen kriecht, voran zwei Rappen,
Weich wie ein Wurm und schwach die Straße hin.
Und über allem hängt ein alter Lappen –
Der Himmel ... heidenhaft und ohne Sinn.

Die Fahrt nach der Irrenanstalt II

Ein kleines Mädchen hockt mit einem kleinen Bruder
Bei einer umgestürzten Wassertonne.

In Fetzen, fressend liegt ein Menschenluder
Wie ein Zigarrenstummel auf der gelben Sonne.

Zwei dünne Ziegen stehn in weiten grünen Räumen
An Pflöcken, deren Strick sich manchmal straffte.
Unsichtbar hinter ungeheuren Bäumen
Unglaublich friedlich naht das große Grauenhafte.

PAUL BOLDT

Der Turmsteiger

Er fühlte plötzlich, daß es nach ihm griff,
– Die Erde war es und der Himmel oben,
An dem die Dohlen hingen und die Winde hoben –
Und fühlte, wie es ihn nun auch umpfiff.

Ihn schauderte. Er sah das Meer, er sah ein Schiff,
Das gelbe Wellen schaukelten und schoben,
Und sah die Wellen, Wellen – Wellen woben
An seinem unvollendeten Begriff.

Ein Wasserspeier sprang ihn an und bellte.
Er zitterte und faßte die Fiale,
Die knarrend brach; – versteinert aber schnellte

Ein Teufel Witze auf die Kathedrale; –
Er hörte hin – ein höllisches Finale:
Er stürzte, fiel! Sein Schrei trieb hoch und gellte.

Friedrichstraßendirnen

Sie liegen immer in den Nebengassen,
Wie Fischerschuten gleich und gleich getakelt,

Vom Blick befühlt und kennerisch bemakelt,
Indes sie sich wie Schwäne schwimmen lassen.

Im Strom der Menge, auf des Fisches Route.
Ein Glatzkopf äugt, ein Rotaug' spürt Tortur,
Da schießt ein Grünling vor, hängt an der Schnur
Und schnellt an Deck einer bemalten Schute,

Gespannt von Wollust wie ein Projektil!
Die reißen sie aus ihm wie Eingeweide,
Gleich groben Küchenfrauen ohne viel

Von Sentiment. Dann rüsten sie schon wieder
Den neuen Fang. Sie schnallen sich in Seide
Und steigen ernst mit ihrem Lächeln nieder.

Junge Pferde

Wer die blühenden Wiesen kennt
Und die hingetragene Herde,
Die, das Maul am Winde, rennt:
Junge Pferde! Junge Pferde!

Über Gräben, Gräserstoppel
Und entlang den Rotdornhecken
Weht der Trab der scheuen Koppel,
Füchse, Braune, Schimmel, Schecken!

Junge Sommermorgen zogen
Weiß davon, sie wieherten.
Wolke warf den Blitz, sie flogen
Voll von Angst hin, galoppierten.

Selten graue Nüstern wittern,
Und dann nähern sie und nicken,
Ihre Augensterne zittern
In den engen Menschenblicken.

Herbstgefühl

Der große, abendrote Sonnenball
Rutscht in den Sumpf, des Stromes schwarzen Eiter,
Den Nebel leckt. Schon fließt die Schwäre breiter,
Und trübe Wasser schwimmen in das Tal.

Ins finstre Laub der Eichen sinken Vögel,
Aasvögel mit den Scharlachflügeldecken,
Die ihre Fänge durch die Kronen strecken,
Und Schreien, Geierpfiff, fällt von der Höhe.

Ach, alle Wolken brocken Dämmerung!
Man kann den Schrei des kranken Sees hören
Unter der Vögel Schlag und gelbem Sprung.

Wie Schuß, wie Hussa in den schwarzen Föhren
Ist alle Farbe! Von dem Fiebertrunk
Glänzen die Augen, die dem Tod gehören.

ERNST BLASS

Vormittag

Den grünen Rasen sprengt ein guter Mann.
Der zeigt den Kindern seinen Regenbogen,
Der in dem Strahle auftaucht dann und wann.
Und die Elektrische ist fortgezogen

Und rollt ganz ferne. Und die Sonne knallt
Herunter auf den singenden Asphalt.
Du gehst im Schatten, ernsthaft, für und für.
Die Lindenbäume sind sehr gut zu dir.

Im Schatten setzst du dich auf eine Bank;
Die ist schon morsch; – auch du bist etwas krank –
Du tastest heiter, daß ihr nicht ein Bein birst.

Und fühlst auf deinem Herzen deine Uhr,
Und träumst von einer schimmernden Figur
Und dieses auch: daß du einst nicht mehr sein wirst.

Ende ...

Glashaft und stier werde ich fortgetragen
Von Schritten, die im Takt nach vorne fliehn.
Und immer wieder steinern dampft Berlin,
Wo Wagen klingelnd durch den Abend jagen.

Schaufensterhelle. Menschen schwarz wie Rauch
In gelbem Schein, von dem die Straße trieft.
Und alles zieht sich hin, ein fester Brauch.
Verleger kommen, schmatzend und vertieft,

Und Mädchen tun, als sein sie ewig hier,
Und immer läutet fort die Straßenbahn ...
Was will denn diese ganze Qual von mir?
Ich habe keinem Menschen was getan.

Von Bogenlämpchen bläulich-weißer Schimmer.
Dünnkaltes Fieber. Wildnis, die gefriert.
In einem Riesenhalbkreis sitzend immer
Sind Lesbierinnen, groß und marmoriert.

FERDINAND HARDEKOPF

Spät

Der Mittag ist so karg erhellt.
Ein dunkler See sinkt in sein Grab.
Dies ist das letzte Licht der Welt,
Das bleichste Glimmen, das es gab.

Aus Sümpfen schwankt Gesträpp und Baum.
Die Birken-Nerven ästeln weh.
Die Zeit erblaßt, es krankt der Raum.
Es gilbt das Schilf im toten See.

Die Luft strömt grau ins Mündungs-All.
Der Rabe schreit. Der Wald schläft ein.
Mich trennt ein rascher Tränenfall
Vom Ende und der Flammenpein.

Notiz
nachts (2 h 45 bis 2 h 47 matin)

Böses Stampfen! (Vom Lauschen, vom Warten . . .)
Grünliches Hämmern, wie in der Chloroform-Narkose!
Ein Pumpwerk zerstößt die Nacht,
Dröhnt.
Mein Herz explodiert.
Die Angst arbeitet rhythmisch, exakt.
Aus einer Röhre, einem Trichter (einer Trompete?)
Fließt schleimiger Schein:
Das morastgelbe Licht der Welt – meiner Welt.
Der Lichtkegel trifft mein Ohr.
Leider bin ich verdammt, aus diesem schmutzigen Licht Angst
        zu pulsen, den Schein in Grauen zu transformieren,
        in Sentiments, in Elend-Quatsch.

Das dauert gewiß bis zum Grauen der Dämmerung hinter
     den Gardinen.
(O: das gute Angelus-Läuten!
Hirten auf dem Felde,
Kartoffelbauern auf dem Felde Millets!
Liebe Demut ihres gebeugten Rückens!)
... Ich bin einer, der nicht in Betracht kommt.
Kein Leben, keine Schminke um mich.
Nur die Angst meine Dame.
(Blicke kratzten, stächen mich,
Ich schriee, stampfte – hautlos ich.)
... Nur verschrumpfte Gebete gelingen,
Keine Gebet-Kunstwerke.
Eine Schmach ist's, von der Angst erlöst sein zu wollen;
Eine Schmach ist's, glücklicher sein zu wollen, als äußerst
     unglücklich ...
Es irritiert die geringste geglückte ... Harmonie.
... Warum nicht das äußerste?
Das isolierte Brennen heiliger Nervenspitzen, letzter Nah-
     rung des Brandes?
Zuckende Reserven, züngelnd im Dampf, im Krampf.

– – – Übrigens bin ich durchaus imstande, den Ablauf solcher Empfindungen brüsk zu unterbrechen, ‚Amerikanismus'
anzuordnen und, mit einer Zigarette, kühlsten Herzens wei-
terzulesen in Henri Beyles: ‚Le Rouge et le Noir.' Selbstverständlich.
Die Lampe brennt ja noch.

KLABUND

Ein Frühlingstag

Die Leute schnuppern in die Luft wie Hunde,
Die dieses Frühlingstages Ruch erspüren wollen.

Die Sonne steigt sehr langsam aus dem Grunde
Der schwarzen Wolken, wie ein Bergmann aus den Stollen.
Und aus den Menschen zieht sie einen Schatten,
Verzerrt sind Kopf und Rumpf und Flanken ...
So kriechen unsre heiligsten Gedanken
Vor uns am Boden, die das Licht doch hatten.

Der bunte Vogel

Zuweilen sind wir rauchbegraben
Im Gläserklang des fröhlichen Cafés,
Und unsre Hände haben
Verirrte Lust nach einem Biergemäss.

Wir trinken Pein. Wir fressen etwas Torte.
Wir haben Angst um eine Frau.
Wir stehen stumm wie Statuen auf der Borte
Des Stammtischs zur geborstnen Sau.

Die Wand am Puppenspiel ist ohne Puppen.
Der Sessel am Klavier ist ohne Mann.
Wir sind wie Dome ohne Kuppen:
Wind fasst unsre Glocken an.

Die Brüderschaft
(dem Doktor B.)

Warum willst du mich nicht Bruder nennen?
Meine Augen, meine Herzen brennen
Frühling, Flamme ohne Qualm.
Hirn veratmet unter Mohn und Ähren.
Aber schmale Schatten nur gewähren
Rotes Blut und Halm.

Deine Finger sind in blass zerschnittnen
Frauenbrüsten. Und die nie erlittnen
Freuden quellen doch in dein und ihrem Schoss.
Lehre mich das blanke Messer führen,
Kinder töten und die Sterne rühren,
Und zu rudern auf entflaggtem Floss.

Einen kleinen seligen Sommermittag
Weihe ihn zum büsserischen Bittag —
Tauche in den blauen Tanz!
Komm und reich mir deine harten Hände,
Und ein leichteres Gelände
Blüht wie Frauen aus entwölktem Glanz.

GOTTFRIED BENN

Kleine Aster

Ein ersoffener Bierfahrer wurde auf den Tisch gestemmt.
Irgendeiner hatte ihm eine dunkelhellila Aster
zwischen die Zähne geklemmt.
Als ich von der Brust aus
unter der Haut
mit einem langen Messer
Zunge und Gaumen herausschnitt,
muß ich sie angestoßen haben, denn sie glitt
in das nebenliegende Gehirn.
Ich packte sie ihm in die Brusthöhle
zwischen die Holzwolle,
als man zunähte.
Trinke dich satt in deiner Vase!
Ruhe sanft,
kleine Aster!

Kreislauf

Der einsame Backzahn einer Dirne,
die unbekannt verstorben war,
trug eine Goldplombe.
Die übrigen waren wie auf stille Verabredung
ausgegangen.
Den schlug der Leichendiener sich heraus,
versetzte ihn und ging für tanzen.
Denn, sagte er,
nur Erde solle zur Erde werden.

Nachtcafé

824: Der Frauen Liebe und Leben.
Das Cello trinkt rasch mal. Die Flöte
rülpst tief drei Takte lang: das schöne Abendbrot.
Die Trommel liest den Kriminalroman zu Ende.

Grüne Zähne, Pickel im Gesicht
winkt einer Lidrandentzündung.

Fett im Haar
spricht zu offenem Mund mit Rachenmandel
Glaube Liebe Hoffnung um den Hals.

Junger Kropf ist Sattelnase gut.
Er bezahlt für sie drei Biere.

Bartflechte kauft Nelken,
Doppelkinn zu erweichen.

B-moll: die 35. Sonate.
Zwei Augen brüllen auf:
Spritzt nicht das Blut von Chopin in den Saal,

damit das Pack drauf rumlatscht!
Schluß! He, Gigi! –

Die Tür fließt hin: Ein Weib.
Wüste ausgedörrt. Kanaanitisch braun.
Keusch. Höhlenreich. Ein Duft kommt mit. Kaum
Duft.
Es ist nur eine süße Vorwölbung der Luft
gegen mein Gehirn.

Eine Fettleibigkeit trippelt hinterher.

Der Arzt II

Die Krone der Schöpfung, das Schwein, der Mensch –:
geht doch mit anderen Tieren um!
Mit siebzehn Jahren Filzläuse,
zwischen üblen Schnauzen hin und her,
Darmkrankheiten und Alimente,
Weiber und Infusorien,
mit vierzig fängt die Blase an zu laufen –:
meint ihr, um solch Geknolle wuchs die Erde
von Sonne bis zum Mond – ? Was kläfft ihr denn?
Ihr sprecht von Seele – Was ist eure Seele?
Verkackt die Greisin Nacht für Nacht ihr Bett –
schmiert sich der Greis die mürben Schenkel zu,
und ihr reicht Fraß, es in den Darm zu lümmeln,
meint ihr, die Sterne samten ab vor Glück . . .?
Äh! – Aus erkaltendem Gedärm
spie Erde wie aus anderen Löchern Feuer,
eine Schnauze Blut empor –:
das torkelt
den Abwärtsbogen
selbstgefällig in den Schatten.

Karyatide

Entrücke dich dem Stein! Zerbirst
die Höhle, die dich knechtet! Rausche
doch in die Flur! Verhöhne die Gesimse –
sieh: durch den Bart des trunkenen Silen
aus seinem ewig überrauschten
lauten einmaligen durchdröhnten Blut
träuft Wein in seine Scham!

Bespei die Säulensucht: toderschlagene
greisige Hände bebten sie
verhangenen Himmeln zu. Stürze
die Tempel vor die Sehnsucht deines Knies,
in dem der Tanz begehrt!

Breite dich hin, zerblühe dich, oh, blute
dein weiches Beet aus großen Wunden hin:
sieh, Venus mit den Tauben gürtet
sich Rosen um der Hüften Liebestor –
sieh dieses Sommers letzten blauen Hauch
auf Astermeeren an die fernen
baumbraunen Ufer treiben; tagen
sieh diese letzte Glück-Lügenstunde
unserer Südlichkeit
hochgewölbt.

D-Zug

Braun wie Kognak. Braun wie Laub. Rotbraun.
Malaiengelb.
D-Zug Berlin – Trelleborg und die Ostseebäder.

Fleisch, das nackt ging.
Bis in den Mund gebräunt vom Meer.

Reif gesenkt, zu griechischem Glück.
In Sichel-Sehnsucht: wie weit der Sommer ist!
Vorletzter Tag des neunten Monats schon!

Stoppel und letzte Mandel lechzt in uns.
Entfaltungen, das Blut, die Müdigkeiten,
die Georginennähe macht uns wirr.

Männerbraun stürzt sich auf Frauenbraun:

Eine Frau ist etwas für eine Nacht.
Und wenn es schön war, noch für die nächste!
Oh! Und dann wieder dies Bei-sich-selbst-Sein!
Diese Stummheiten! Dies Getriebenwerden!

Eine Frau ist etwas mit Geruch.
Unsägliches! Stirb hin! Resede.
Darin ist Süden, Hirt und Meer.
An jedem Abhang lehnt ein Glück.

Frauenhellbraun taumelt an Männerdunkelbraun:

Halte mich! Du, ich falle!
Ich bin im Nacken so müde.
Oh, dieser fiebernde süße
letzte Geruch aus den Gärten.

Gesänge

I

O daß wir unsere Ururahnen wären.
Ein Klümpchen Schleim in einem warmen Moor.
Leben und Tod, Befruchten und Gebären
glitte aus unseren stummen Säften vor.

Ein Algenblatt oder ein Dünenhügel,
vom Wind Geformtes und nach unten schwer.
Schon ein Libellenkopf, ein Möwenflügel
wäre zu weit und litte schon zu sehr.

II

Verächtlich sind die Liebenden, die Spötter,
alles Verzweifeln, Sehnsucht, und wer hofft.
Wir sind so schmerzliche durchseuchte Götter
und dennoch denken wir des Gottes oft.

Die weiche Bucht. Die dunklen Wälderträume.
Die Sterne, schneeballblütengroß und schwer.
Die Panther springen lautlos durch die Bäume.
Alles ist Ufer. Ewig ruft das Meer —

Mann und Frau gehn durch die Krebsbaracke

Der Mann:
Hier diese Reihe sind zerfallene Schöße
und diese Reihe ist zerfallene Brust.
Bett stinkt bei Bett. Die Schwestern wechseln stündlich.

Komm, hebe ruhig diese Decke auf.
Sieh, dieser Klumpen Fett und faule Säfte,
das war einst irgendeinem Mann groß
und hieß auch Rausch und Heimat.

Komm, sieh auf diese Narbe an der Brust.
Fühlst du den Rosenkranz von weichen Knoten?
Fühl ruhig hin. Das Fleisch ist weich und schmerzt nicht.

Hier diese blutet wie aus dreißig Leibern.
Kein Mensch hat so viel Blut.
Hier dieser schnitt man
erst noch ein Kind aus dem verkrebsten Schoß.

Man läßt sie schlafen. Tag und Nacht. – Den Neuen
sagt man: hier schläft man sich gesund. – Nur sonntags
für den Besuch läßt man sie etwas wacher.

Nahrung wird wenig noch verzehrt. Die Rücken
sind wund. Du siehst die Fliegen. Manchmal
wäscht sie die Schwester. Wie man Bänke wäscht.

Hier schwillt der Acker schon um jedes Bett.
Fleisch ebnet sich zu Land. Glut gibt sich fort.
Saft schickt sich an zu rinnen. Erde ruft.

Räuber-Schiller

Ich bringe Pest. Ich bin Gestank.
Vom Rand der Erde komm ich her.
Mir läuft manchmal im Maule was zusammen,
wenn ich das speie, zischten noch die Sterne
und hier ersöffe das ganze feige
Pietzengeschlabber und Abelblut.

Weil meine Mutter weint? Weil meinem Vater
das Haar vergreist? Ich schreie:
Ihr grauer Schlaf! Ihr ausgeborenen Schluchten!
Bald sän euch ein paar Handvoll Erde zu.
Mir aber rauscht die Stirn wie Wolkenflug.

Das bißchen Seuche
aus Hurenschleim in mein Blut gesickert?
Ein Bröckel Tod stinkt immer aus der Ecke –
pfeif drauf! Wisch ihm eins! Pah!

Revolution

PAUL ZECH

Café

Auch hier ist alles nur Betrug und Schein:
Die Geige lügt, die Kellner gehn gemein.
Das Wort noch, in Gesprächen ausgetauscht,
macht uns nicht heiß. Wir sind belauscht.

Wir haben eine Aristokratie
aus uns gemacht, gelenkig unser Knie.
Wir wissen von der Nacht nur, daß sie tanzt,
nicht, daß sie unsere Existenz zerfranst.

Den Bettler vor dem windigen Portal
sehn wir nicht an, das Bild ist schal
und doch im steten Trotz der Wiederkehr
der Spiegel: wie verkalkt sind wir und leer!

... Da stürzt ein Pferd, der Damm schluckt
                        schwarzes Blut
Und niemand hat mehr einen Funken Mut,
dem Schmerzgeschmetter das Pistol zu ziehn.
Was hilft dies uns, daß wir vor Ekel fliehn?

Es stürzen Tausend diese Nacht noch hin,
die sich mit Faust und ausgetrotztem Kinn

ein Dasein zimmerten. Wofür noch sind
wir da? Wir fechten in den Wind.

Wir häufen einen Chimborasso von Papier,
nicht Waffen und sind immer noch nur vier,
nicht Millionen wider diese Zeit.
Der Strom der Not wächst bald zu breit.

Eh' nicht ein Wall von Fleisch die Brücke baut –:
seid auf der Gasse laut,
auf allen Kanzeln zeigt das rote Tuch,
durch jede Gurgel müssen wir den Fluch

hindonnern: „a l t e   O r d n u n g   s t i r b !"
. . . . . . ich höre nur Gezirp.
Das Herz in unserem Tun gefror.
Mit krummen Hörnern stößt der Morgen vor.

Fabrikstädte an der Wupper
Die andere Stadt

Schwarze Stadt an schwarzem Gewässer steilaufgebaut –
grünbeliderte Fenster funkeln;
aus dem gespenstischen Schieferdachdunkeln
schnelln Schornsteine von Dampf und Dunst umbraut.

Hellwild rattert und knattert die Pendelbahn
über Brücken und hagre Alleen.
Fabrik dort unten, wo Spindeln sich kreischend drehen,
ist grau wie ein müder vermorschter Kahn.

Schweiß kittet die bröckelnden Fugen fest;
Schweiß aus vielerlei Blutsaft gegoren
und ein Frommsein enteitert dem greisen Gebrest.

Mancher hat hier sein Herz verludert, verloren;
Kinder gezeugt mit schwachen Fraun . . . .
Doch die Kirchen und Krämer stehn hart wie aus Erz
                                        gehauen.

Vesperpause

Ein asphaltierter Hof von Mauern eng umstellt.
Auf morschen Bohlen kauern stumm die Maschinisten,
gebückte Greise, die ein Gnaden-Elend fristen;
vor Rad und Hebel stockt der Himmel ihrer Welt.

Zinkschmelzerinnen wölben Hüften aus und Brust.
Bisweilen fällt aus ihren Augen ein gehetztes Schimmern
deutbar wie Films, die plastisch auf der Leinwand
                                        flimmern.
Schmerzfalten der Gesichter sind vom Erzstaub überrußt.

Den Schleppern tönt ein Rausch aus der Kantine zu,
wo sie in mitternächtiger Ruh
Revolutionen hetzen und erwürgen.

Vom Dach herab, das Tau und Teer vertropft,
droht Unheil. Kupfertrossen, dunkel angeklopft,
gewittern Wälderklang aus unterirdischen Gebirgen.

Fabrikstraße tags

Nichts als Mauern. Ohne Gras und Glas
zieht die Straße den gescheckten Gurt
der Fassaden. Keine Bahnspur surrt.
Immer glänzt das Pflaster wassernaß.

Streift ein Mensch dich, trifft sein Blick dich kalt
bis ins Mark; die harten Schritte haun

Feuer aus dem turmhoch steilen Zaun,
noch sein kurzes Atmen wolkt geballt.

Keine Zuchthauszelle klemmt
in ein Eis das Denken wie dies Gehn
zwischen Mauern, die nur sich besehn.

Trägst du Purpur oder Büßerhemd –:
immer drückt mit riesigem Gewicht
Gottes Bannfluch: u h r e n l o s e S c h i c h t.

Mai-Nacht

Noch klappen Paternoster. Fensterfronten schreiten
weiß wie Flamingos in den Lampenozean.
Versandet aber liegen Ufer, Kran bei Kran,
aus den Kanälen wachsen Mauern von drei Seiten.

Die braunen Hügel Armut vor dem Wald der Schlote
vergaßen, daß hier aufbrach ein Vesuv ...
Die Stuben schallten voller Ruf,
vor Schenken hängt der Mond, die rote Zote.

Und plötzlich hat der Straßen glattes Einerlei
das riefig strotzende Gesicht
apokalyptisch überglänzt von Schrift:

„G e b t R a u m a u f H a l d e n, W e r f t e n u n d G l a c i s,
g e b t R a u m a u f R a s e n, B l u m e n b e e t u n d K i e s
d e m M a i, d e r u n s e r e K e h l e n h e i m s u c h t a l s
e i n S c h r e i !"

Nach einem Juniregen

Der Regen hat die ganze Nacht die Straßen
herabgefegt. Es kam ein Duft von Wäldern mit,
stieß bis ans Bett und legte sich im Schritt
der Männer, die zu frühstücken vergaßen.

Glatzköpfig traten sie vor Rad und Hebel.
So störrisch tanzte nie die Transmission;
es gab schon Tote und den blöden Ton
der Feuerhörner durch den Morgennebel.

Der ganzen Bande lag der Aufruhr weiß im Blick.
Und so als säßen ihm schon Messer im Genick
schielte der Adel nach dem Militär.

Da brach die Sonne durch. Das Haar der Weiber
                           wurde hell
und vor der Brüste milchgeschwelltem Fell
erschrak der Held und gab sich willig her.

LUDWIG RUBINER

Die Ankunft

Ihr, die Ihr diese Zeilen nie lesen werdet. Dürftige Mädchen,
     die in ungesehenen Winkeln von Soldaten gebären,

Fiebrige Mütter, die keine Milch haben, ihre Kinder zu
     nähren.
Schüler, die mit erhobnem Zeigefinger stramm stehen müssen,
Ihr Fünfzehnjährige mit dunklem Augrand und Träumen
     von Maschinengewehrschüssen,

Ihr gierige Zuhälter, die den Schlagring verbergt, wenn Ihr
    dem Fremden ins Menschenauge seht,
Ihr Mob, die Ihr klein seid und zu heißen Riesenmassen
    schwellt, wenn das Wunder durch die Straßen geht,

Ihr, die Ihr nichts wißt, nur daß Euer Leben das Letzte ist,
    Eure Tage sind hungrig und kalt:

Zu Euch stäuben alle Worte der Welt aus den Spalten der
    Mauern, zu Euch steigen sie wie Weinrauch aus dem
    Dunst des Asphalt.
Ihr tragt die Kraft des himmlischen Lichts, das über Dächer
    in Euer Bleichblut schien.
Ihr seid der schallende Mund, der Sturmlauf, das Haus auf
    der neuen gewölbten Erde Berlin.

Ihr feinere dämliche Gelehrte, die Ihr nie Euch entscheidet
    hinter Bibliothekstischen,
Ihr Börsenspieler, die mit schwarzem Hut am Genick
    schwitzend witzelt in Sprachgemischen.
Ihr Generäle, weißbärtig, schlaflos in Stabsquartieren, Ihr
    Soldaten in den Leichenrohren der Erde hinter pestigen
    Aasbarrikaden,

Und Kamerad, Sie, einsam unter tausend Brüdern Kame-
    raden;
Kamerad, und die Brüder, die mit allem zu Ende sind,
Dichter, borgende Beamte, unruhige Weltreisende, reiche
    Frauen ohne Kind,

Weise, höhnische Betrachter, die aus ewigen Gesetzen den
    kommenden Krieg lehren: Japan-Amerika,

Ihr habt gewartet, nun seid Ihr das Wort und der göttliche
    Mensch. Und das himmlische Licht ist nah.

Ein Licht flog einst braunhäutig vom Südseegolf hoch, doch
die Erde war ein wildes verdauendes Tier.

Eure Eltern starben am Licht, sie zeugten Euch blind. Aber
aus Seuche und Mord stiegt Ihr.

Ihr soget den Tod, und das Licht war die Milch, Ihr seid
Säulen von Blut und sternscheinendem Diamant.
Ihr seid das Licht. Ihr seid der Mensch. Euch schwillt neu
die Erde aus Eurer Hand.
Ihr ruft über die kreisende Erde hin, Euch tönt 'rück Euer
riesiger Menschenmund,
Ihr steht herrlich auf sausender Kugel, wie Gottes Haare im
Wind, denn Ihr seid im Erdschein der geistige Bund.

Kamerad, Sie dürfen nicht schweigen. O wenn Sie wüßten,
wie wir geliebt werden!

Jahrtausende mischten Atem und Blut für uns, wir sind
Sternbrüder auf den himmlischen Erden.

O wir müssen den Mund auftun und laut reden für alle
Leute bis zum Morgen.
Der letzte Reporter ist unser lieber Bruder,
Der Reklamechef der großen Kaufhäuser ist unser Bruder!
Jeder, der nicht schweigt, ist unser Bruder!

O zersprengt die Stahlkasematten Eurer Einsamkeit!
O springt aus den violetten Grotten, wo Eure Schatten im
Dunkel aus Eurem Blut lebend schlürfen!

Jede Öffnung, die Ihr in Mauern um Euch schlagt, sei Euer
runder Mund zum Licht!
Aus jeder vergessenen Spalte der Erdschale stoßt den Atemschlag des Geistes in Sonnenstaub!

Wenn ein Baum der Erde den Saft in die weißen Blüten
    schickt, laßt sie reif platzen, weil Euer Mund ihn
    beschwört!
O sagt es, wie die geliebte grünschillernde Erdkugel über
    dem Feuerhauch Eures lächelnden Mundes auf und ab
    tanzte!
O sagt, daß es unser aller Mund ist, der die Erdgebirge wie
    Wolldocken bläst!

Sagt dem besorgten Feldherrn und dem zerzausten Arbeits-
    losen, der unter den Brücken schläft, daß aus ihrem
    Mund der himmlische Brand lächelnd quillt!
Sagt dem abgesetzten Minister und der frierenden Wan-
    derdirne, sie dürfen nicht sterben, eh hinaus ihr
    Menschenmund schrillt!

Kamerad, Sie werden in Ihrem Bett einen langen Schlaf tun.
    O träumen Sie, wie Frauen Sie betrogen; Ihre Freunde
    verließen Sie scheel.

Träumen Sie, wie eingeschlossen Sie waren. Träumen Sie den
    Krieg, das Bluten der Erde, den millionenstimmigen
    Mordbefehl,

Träumen Sie Ihre Angst; Ihre Lippen schlossen sich eng; Ihr
    Atem ging kurz wie das Blätterbeben an erschreckten
    Ziergesträuchen.

Schwarzpressender Traum, Vergangenheit, o Schlaf im eiser-
    nen Keuchen!
Aber dann wachen Sie auf, und Ihr Wort sprüht ums Rund
    in Kometen und Feuerbrand.

Sie sind das Auge. Und der schimmernde Raum. Und Sie
    bauen das neue irdische Land.

Ihr Wort stiebt in Regenbogenschein, und die Nacht zerflog,
    wie im Licht aus den Schornsteinen Ruß.

O Lichtmensch aus Nacht. Ihre Brüder sind wach. Und Ihr
    Mund laut offen ruft zur Erde den ersten göttlichen
    Gruß.

Der Denker

Die Nacht im weißen Gefängnis ist mondperl und hoch,
Glanzbraune Gerüste kreuzen vor der Luke in die Zukunft,
Der Führer liegt auf der wulstigen Pritsche,
Ein Spitzelauge haarig schmal witzte durch das Guckloch
    der glatten Eisentür.
Er liegt ganz still, daß das Blut durch die graden Glieder
    fließt und zurückschießt,
Der Turm braun bewachsen des Haupts wird auf und herab
    bestiegen eilends von Wachen.
Tief unten der Wassergraben des Munds liegt in Dürre.
Draußen warten die dunklen bewegten Felder auf den
    Feuerschein.
O Mund, bald schwimmen bewaffnete Haufen wie schwarze
    Wellen hervor,
Braunes Haupt, du schleuderst sie krachend weit ins Land,
O Schein des Auges, der das Ziel im Brandfeuer trifft.
O Kuppel, darin die neuen Häuser der Erde schweben, flach
    ineinandergehüllt, zahllos, und Bildsäulen, Wälder,
    Sprachen,
            Du kristallenes Haupt!

Liegst nun schweigend im weißen Würfel der Zelle auf
    nächtigem Pritschenrand,
Die Finger schmal zu den Seiten wie morgen im Grab.
Aber dein Pulsschlag klopft schon sacht durch die Mauer-
    röhren des Zuchthauses,
Die Wärter flüstern verboten den Gefangenen zu.

Dein Bruderauge kreist schauend wie bewegter Stein durch
     die wachenden Zellen hin.
Denke du durch alle Gefangenenhirne, hinaus zu den Wachen,
     über die Höfe, hinaus in die Straßen!
Der Stein über dir aufgetrieben, schwillt.
Dein Haar ist die Plattform der schlaflosen Wachen,
Die Steinmauern in deinem Blut atmen auf und ab von
     deinem Beben,
Die Gitterfenster rund hoch um das Haus sind dunkel aus
     deinem Blick.
In Jahrtausenden ist die Burg dein Abbild weit in die
     Länder hin, dein Name schwebt feuergroß auf dem
     Himmel, über deinem riesenhohen Steinkopf.

Führer, schlafe heute Nacht nicht. Nur diese Nacht
          denke noch!

JOHANNES R. BECHER

Der Dichter meidet strahlende Akkorde.
Er stößt durch Tuben, peitscht die Trommel schrill.
Er reißt das Volk auf mit gehackten Sätzen.

*

Ich lerne. Ich bereite vor. Ich übe mich.
Wie arbeite ich – hah leidenschaftlich! –
Gegen mein noch unplastisches Gesicht –:
Falten spanne ich.
Die Neue Welt
(– eine solche: die alte, die mystische, die Welt der Qual
                    austilgend –)
Zeichne ich, möglichst korrekt, darin ein.
Eine besonnte, eine äußerst gegliederte, eine g e s c h l i f f e n e
                Landschaft schwebt mir vor,

Eine Insel glückseliger Menschheit.
Dazu bedarf es viel. (Das weiß er auch längst sehr wohl.)

O Trinität des Werks: Erlebnis, Formulierung, Tat.

Ich lerne. Bereite vor. Ich übe mich.

... bald werden sich die Sturzwellen meiner Sätze zu einer
                            unerhörten Figur verfügen.
Reden. Manifeste. Parlament. Der Experimentalroman.
Gesänge von Tribünen herab vorzutragen.

Der neue, der heilige Staat
Sei gepredigt, dem Blut der Völker, Blut von ihrem Blut,
                            eingeimpft.
Restlos sei er gestaltet.
Paradies setzt ein.
– Laßt uns die Schlagwetter-Atmosphäre verbreiten! –
Lernt! Vorbereitet! Übt euch!

An die Völker

III

Wann schnellt ihr hoch? Wann schwebt in Lüften frei
Ausbalanziert ihr? Bunteste Sonnen drehen.
Der Länder Beete sich um euere Hüften schlingen.
Wann geht ihr auf? Enteilt den Kerkernächten?

Auf eure Gewänder von Shrapnells gestreut
Zischend Gewölk. Wann – da Stockwerk Straßen würgt –
Verlaßt ihr das Gefild, aus finsterem Donnersturm
Zieht euch heraus?! Folgt jener Führer Wink:

Aufflammend Könige. Säulen. Hellste Imperative.
Springt auf! Hah! Rhythmisiert euch! Bohrt euch fest!

Bewegt, verankert, knetet, klärt euch! Steigt!
Ihr Heilige des Schweißes. Zukünftige. Neu geformte.

Die jungen Dichter wirbeln euch Salut.
Erregte Masse. Stoff in Fluß geraten.
Koloß von ungezählten Flügeln hochgeschraubt.
Einst –: Bergklotz. Jetzt –: elastisch Monument gleitend im
Ätherraum.

Schart euch! Entteilt! Gehirn zuspitzt! Beginnt!
Kolonnen stampfend gen der Henker Bau.
Die Fahne scheint! Gehirn –: der Zukunft Waffe.
Knickt um der Bajonette rostigen Wald.

Strahlhauch der Liebe jed Gewehr einschmilzt.
Aufzüngeln Hände Palmenhimmel über der Geschütze Rohr
verzweigt.
Fortflügeln die Granaten. Selige Schwäne.
Umarmte ziehen, von Gesängen ewigen Friedens tönend, weit
in der Runde auf!

Auf eine Zeitschrift
1916

Du Chaos-Zeiten edles Monument!
Auswirkend Tafel du gefallener Brüder.
Weit flatternd Feuerbeet der Spalten brennt.
Zur tönenden Riesenpyramide stauen hoch sich der Gemetzel
zuckende Glieder.
Du Chaos-Zeiten schrecklich (Echo-) Monument!

Ah! Unsere Fahnen rollen diese Blätter,
Am Horizont entstäubt zu breitestem Morgenstrahl.
Beginnt! Sturmleiter: Rhythmus euerer Strophen klettert.

Scheinwerfer Holzschnitt weiß der Nacht Saum malt.
Hah! Unsere Fahnen rollen diese Blätter!

Die jungen Dichter greifen Abenteuer
In Versen bunt, auch seltsam oft verrenkt.
Dort aus dem Satz-Polyp schält sich ein politisch Neuer.
Konzentrischer wie Dolch die Worte schwenkt.
Ob ausgeschwungen, steil gespitzt–: tiefst euer!

So drehen wir bald zur großen Freundschaftsmelodie
                                    zusammen,
Des neuen Staates brennendster Akkord.
Ob unserem Haupt, der Winde Feste, sammeln
Sich Sterngewölbe wirr. Wir schmettern fort.
Gleich Transparenten. Leuchtend. Die Parole rast:
Europa!!! Eifelturm jeder Hals.

Dein Schreibtisch Freund der wahrhaft Guten Thron.
O ewig Reservoir draus schießen dröhnend die Gesänge!
Tragödien stürzen. Marsch sich knetet schon.
Der wird die Haufen (kittend) ineinander drängen.
Vorwärtssignal schleift euer Sommerton.
Empor! Millionen unserem Zug einzwängen.
O letzte Schlacht! Gebenedeit Gefild!
Jahrhunderte noch knieen vor deinem Bilde.

Du wirst sie kämpfen immer steigend schon!
Da spülten in den Kotfluss die Verräter.
Du wirst sie siegen. Ohne Attentäter
Ganz ohne Waffen. Heilig. Tönend schon.
Wie nah die Gottesstund wo in dich strömt ein jeder.
All-Bruder! Tod-bereit. Jetzt himmlisch Mutter schon!!!
Die Bürger selbst sie müssen weinend treten
Zu deinen Reihen. Mit Engelszungen redend.

                                                    René Schickele

Der Mensch steht auf!

Verfluchtes Jahrhundert! Chaotisch! Gesanglos! Ausgehängt
    du Mensch, magerster der Köder, zwischen Qual Nebel-
    Wahn Blitz.
Geblendet. Ein Knecht. Durchfurcht. Tobsüchtig. Aussatz und
    Säure.
Mit entzündetem Aug. Tollwut im Eckzahn. Pfeifenden
    Fieberhorns.
Aber
Über dem Kreuz im Genick wogt mild unendlicher Äther.
Heraus aus Gräben Betrieben Asylen Kloaken, der höllischen
    Spelunke!
Sonnen-Chöre rufen hymnisch auf die Höhlen-Blinden.
Und
Über der blutigen Untiefe der Schlachten-Gewässer
Sprüht ewig unwandelbar Gottes magischer Stern.

Du Soldat!
Du Henker und Räuber! Und fürchterlichste der Geißeln
    Gottes!
Wann endlich
– frage ich bekümmert und voll rasender Ungeduld zugleich –
Wann endlich wirst du mein Bruder sein??
Wenn
Das mörderische Messer restlos von dir in dir abfällt.
Du vor Gräbern und Feinden waffenlos umkehrst:
Ein Deserteur! Ein Held! Bedankt! Gebenedeit!
Zornig du in tausend Stücke das verbrecherische Gewehr
    zerschmeißt.
Rücksichtslos dich deiner „verdammten Pflicht und Schuldig-
    keit" entziehst
Und deinen billigen hundsföttischen Dienst höhnisch offen
    verweigerst allen Ausbeutern, Tyrannen und Lohnherrn.
Wenn
Dein zerstörerischer Schritt nicht mehr erbarmungslos stampft

über die friedlichen Lichtgründe einer kreaturen-
beseelten Erde.
Und du dich wütend selbst zermalmst vor deinen glorreichen
Opfern am Kreuz.
... dann dann wirst du mein Bruder sein ...

Wirst mein Bruder sein:
Wenn du reumütig vor dem letzten und schlimmsten der
erschossenen Plünderer kniest.
Verzweifelt und gedemütigt
Stachelfäuste durch deine Panzerbrust hindurch
In das Innere deines eben erwachten Herzens herabpreßt –
Zerknirscht und Gelübde schmetternd es herausheulst:
„Siehe auch dieser da war mein Bruder!!
Oh welche, oh meine Schuld!!!"

Dann dann wirst du mein Bruder sein.
Dann dann wird gekommen sein jener endliche blendende
paradiesische Tag unsrer menschlichen Erfüllung,
Der Alle mit Allen aussöhnt.
Da Alle sich in Allen erkennen:
Da tauen die peitschenden Gestürme machtlos hin vor unserem
glaubensvollen Wort.
Euerer Hochmut eigensinniger Ararat setzt sich erlöst und
gern unter die weichen Gezelte der Demut.
Verweht der Teuflischen schlimmer Anschlag, Bürde und
Aufruhr.
Wie auch gewaltlos überwältigt der Bösen eroberische Gier,
schranken- und maßlosester Verrat und Triumph.

Sage mir, o Bruder Mensch, wer bist du!?
Wüter. Würger. Schuft und Scherge.
Lauer-Blick am gilben Knochen deines Nächsten.
König Kaiser General.
Gold-Fraß. Babels Hure und Verfall.
Haßgröhlender Rachen. Praller Beutel und Diplomat.

Oder oder
Gottes Kind!!??

Sage mir o Mensch mein Bruder w e r du bist! Glücklich
Umgurgelt von den ruhlosen Gespenstern der unschuldig
    und wehrlos Abgeschlachteten!?
Der Verdammten Evakuierten explodierenden Sklaven und
    Lohnknechte!?
Trostlose Pyramide rings Wüstenei Gräber Skalp und Leiche.
Der Hungerigen und Verdursteten ausgedörrte Zunge euch
    Würze des Mahls!?
Jammer-Röcheln, Todeshauch, der Erbitterten Wut-Orkan
    euch wohlgefällige Fern-Musik?
Oder aber
Reicht dies brüllendste Elend alles nicht an euch
Ihr Satten Trägen Lauen ihr herzlos Erhabenen?
Euerer Härte Feste, vom Zyklon der Zeit umdonnert, wirk-
    lich unberührt!?
Bröckelt euerer stolzen Türme Stein um Stein nicht ab, daß
    die schwangeren Eselinnen endlich rasten.
Euere Früchte modern: Völker seellos und vertiert.
Herrscher dieser Welt, die euch nur euch belasten!!!

Sage mir o Bruder mein Mensch wer bist du!?
... makelloses Sterngebild am Himmelswunsch der Ärmsten
    oben.
Krasser Feuer-Wunde kühler Balsam-Freund –
Zaubrisch süßer Tau auf Tiger wildes Dorn-Gestrüpp –
Mildes Jerusalem fanatischer Kreuzzüge –
Nie je verlöschende Hoffnung –
Nie trügerischer Kompaß. Gottes Zeichen –
Öl bitterer Zwiebel starrer Zweifel –
Du tropische Hafenstadt ausgewanderter, der verlorenen
    Söhne –
Keiner dir fremd,
Ein jeder dir nah und Bruder.

Verirrte Bienenschwärme nistend in dir.
Im südlichen Zephir-Schlaf deiner Mulden rastet, verstrickt
    in des Raums labyrinthische Öde
Ekstatisch singend ein Bettler der besitzlose Dichter, Ahasver,
    der weltfremde weltnahe melancholische Pilger.
In die Schlummerlaube und Oase deiner Füße niedertaucht
    der Ohnefrieden.
Aber an den Ural-Schläfen deines Haupts aufwärts steigt
    der lichtvoll Nimmermüde:
Deiner Reinheit Quellen
Kämpfen sich durch Fluch und Steppen.
In verrammte Zitadellen
Geußt du Würze Lamm und Frühlingshügel.
Engel sinkst du wo sich Ärmste schleppen.
Noch in Höllen wirkst du Helfer gut.
Doch den Bösen klirrt – Gericht – dein Jünglingsflügel:
Aus der Felsen Schlucht und Brodem
Reißt du glühend Frucht und Odem.
Schöpfest himmlisch Blut.

. . . Grimmer Moloch oder Edens Küste.
Giftgas-Speier oder Saat des Heils.
Scheusal der Hyäne oder Palmen Zone.
Christi Seiten-Wunde oder Essigschwamm.
Sage mir o mein Bruder mein Mensch: w e r wer von den
    beiden bist du?!

Denn
Brennende Gezeit brüllt fordernd dich auf:
Entscheide dich! Antworte dir!
Rechenschaft will ich und
Die zerrissene Erde aus der gewaltigen Schleuder deines
    Gehirns: Wille Fülle und Schicksal.
Einer heiligen glückhaften Zukunft kindlicher sorgloser Schlaf
    befrägt andämmernd schon dringend dich.
Schütte dich aus! Bekenne erkenne dich!

Erhöre dich! Werde deutlich!
Sei kühn und denke!
Mensch: du menschenabgewandter, einsamer Brodler, Sünder
      Zöllner Bruder und Verräter: wer bist du!!
Drehe im Grabe dich! Dehne dich sehne dich!
Atme! Entscheide dich endlich! Wende dich!
Limonen-Farm oder Distel-Exil.
Auserwählte Insel oder Pfuhl der Schächer.
Ruinen-Keller. Strahl-Prophet und Flammen-Sinai.
Lokomotiven Tempo Bremse kläffend.
Mensch Mensch mein Bruder wer bist du!?

Schwefel-Gewitter stopfen ruchlos azuren Raum.
Deiner Sehnsucht Horizont vergittert sich.
(... nieder ins Blut! Brust auf! Kopf ab! Zerrissen! Ge-
    quetscht. Im Rüssel der Schleusen ...)
Noch noch ists Zeit!
Zur Sammlung! Zum Aufbruch! Zum Marsch!
Zum Schritt zum Flug zum Sprung aus kananitischer Nacht!!!
Noch ists Zeit –
Mensch Mensch Mensch stehe auf stehe auf!!!

Die Hafenstadt

Die Hafenstadt: schwarz atmen die Kanäle
Hindurch durch Häuser, und der Mond, ein krummer Haken,
Flitzt in der Luft, drin alle Schlote schwälen.
Das Fisch-Volk strudelt nachts in den Kloaken.

Im Hafen-Hof versammeln sich die Kohlenbunker.
Die Nacht tropft ab wie Teer. Zweibeinig schleicht ein Tier
Quer übern Damm. Matrosenhut. Branntweindurchstunken.
Jetzt bombenschleudernd hüpfts durchs Milliardärsquartier.

Salzwinde wehn dich an. Auf Viadukten
Schwebts dich hinab ins eingekaite Meer.

Schiffsrümpfe barsten. Masten funken-zuckten.
Leucht-Kugeln platzend schossen kreuz und quer.

Die Hafenstadt steht da: behängt mit Glocken
Im oberen Teil. Im unteren mit Flüchen
Ist sie gemauert fest. – An Leinen zappelts: Hemden, Jacken,
                              Socken.
Ein Trangeruch qualmt vor den Kellerküchen.

Auswanderer lagen schlafend rings in Haufen.
O, uferlose Fläche ist ihr Traum.
Das Nordlicht schmolz herab in goldenen Traufen.
Die Erde schwankte, wurde glasiger Schaum.

Was hofften sie!? Vielleicht des Heilands Flotte
Läuft heut im Hafen ein. Vorauf ein fliegender Delphin.
Ein Muschel-Chor. Die Menschen-Völker rotten
Auf Plätzen sich. Und alle knien, und knien!

Ist Gott nicht tot!? Sieh, an den Wänden
Des Horizonts phosphoren ein Gesicht!
Verwelkt der Rumpf: ein Wrack, im Süd-Ost schlenkernd.
Ein Haupt dem Mast vernagelt: hör: der Tote spricht ...

Netzbündel knäuln sich vor den Fischerhütten.
Der Mörder hockte knurrend im Verlies.
Die Leiche trieb – das Antlitz ist vom Schilf zerschnitten –
Die Schleuse an. Das Wachthorn blies ...

Drei saßen zechend nachts in einer Hafenschenke.
Und die Matrosen-Anne tanzte auf dem Tisch in einem
                              Scharlach-Frack.
Papierene Bänder flattern ihr um die Gelenke.
Der Mund war schief, wie rohes Fleisch, gezackt.

Die Drei durchzogen singend früh die Hafengasse.
Dampfhämmer knalln. Die Sonne jauchzt, die pralle.

Die ersten Kähne schleppen sich ins Wasser.
Was sangen sie!? „Auf, auf, ihr Völker alle!"

Auf! Angekrochen Würmern gleich aus kalkgeweißten Löchern
So wimmelts hin. Schnellzüge überkrachten Brücken, Schuß
auf Schuß.
Auf Karren rollts heran zum Landungsteg die Heringsfässer.
Zementene Korridore donnern unterm Fluß ...

Auf! Auf! Da schreiten hin die Drei. Die Eisenkrane
Drehn lautlos sich im Blau. Sirenen-Pfiffe.
Bugüberbug wehn die verrußten Fahnen.
Die Schrauben flügeln an der Riesenozeanschiffe.

Es singt die Drei. Da gegensingts. Auf Werften,
Im Heizraum dröhnts. Die Mannschaft aufruhr-singt.
Sie schwingen ihre Äxte, die geschliffenen!
Der Raum glüht an. Und jeder Arm, der schwingt –

Die Hafenstadt: sie ist der Rote Brand.
Die Flammenströme reißen hin durchs Land auf Gleisen.
Wie Lawa wälzt. Baut Dämme hoch! Umsonst ... Brand
Ist die Welt! Und Feuerräder schleudernd sind die Sterne,
die, zerschneidend, euch umkreisen. –

RUDOLF LEONHARD

Ein Schrapnell

Maschinengewehre rasselten wild.
Mitten über einem Schützengraben platzte ein Schrapnell.
Alle starben. Die meisten schnell.

Aber einer faßte noch, schreiend, nach einem Bild
in seinem Hirn: Eine bläuliche Marmorbrüstung
leuchtend am Meere. Eine schwarze Pappel. Und
ein reifer spöttischer Frauenmund.

Ein andrer dachte gekrümmt an sein heimisches Bett,
an warme Fladen, Euter, Heu und Hitze.

Einem verlosch im toten Blick seine gereckte Degenspitze.
Eines Gardejägers Bauch war ein großes rauchendes Wund.

Einer gurgelte, Blut im Mund:
„– meine Rüstung
für diesen Krieg war Traum und ein Sonett –"

Der Mischling

Das blonde Haar ist über seinem schmalen Schädel
in hoher Welle schräg zurückgestrichen.
Die Stirn, gebuckelt, ist graviert mit Strichen,
unter dem Sprung der Brauen unterjochen
wilde Augen die gewölbten Backenknochen;
kurz sprechend wirft er hastig seinen Schädel.

Dem wüsten Vaterhause ist er früh entwichen.
Auch in der Fremde blieb er unverhohlen
unglücklich. Er ist viel in Europa umhergestrichen,
tat viel und war sehr vielen Dingen nah,
war deutscher als ein Deutscher, polnischer als Polen.
Schließlich ging er mit einem Mädel,
das ihm ähnlich sah,
in die Kolonie,
entrann dem Rausch und fand etwas wie Glück.
Bei Kriegsausbruch kam er von Pondichéry
zurück.

Er sprang vom Schiff. Er übersprang die Grenzen, die sie
trennen,
er fühlte sie und fühlte sich mit gespaltner Flamme brennen.
Er kannte Krieg und wußte, daß jedes Volk sich selbst
bekriegt.
Er half zum Siege und war selbst besiegt.
Er war geschaffen, ihre Tugenden zu kennen.
O wie sein schönes Herz zwischen den Völkern liegt!

Der tote Liebknecht

Seine Leiche liegt in der ganzen Stadt,
in allen Höfen, in allen Straßen.
Alle Zimmer
sind vom Ausfließen seines Blutes matt.

Da beginnen Fabriksirenen
unendlich lange
dröhnend aufzugähnen,
hohl über die ganze Stadt zu gellen.

Und mit einem Schimmer
auf hellen
starren Zähnen
beginnt seine Leiche
zu lächeln.

ERNST TOLLER

Menschen

Krieg verjährte zum Gespenst,
Das knöchern seine Finger
Um die gekreisten Völker krallte.

Menschen taten von sich ihre Hüllen,
Leeren Auges starrten sie gekuppelt,
Keiner war, der Bruder lächeln mochte,
Keiner, der dem andern seine Arme bot,
Worte, die sie sprachen, waren Masken,
So saßen sie beisammen,
Mumien oder Grammophone.

An die Dichter

Anklag ich Euch, Ihr Dichter,
Verbuhlt in Worte, Worte, Worte!
Ihr wissend nickt mit Greisenköpfen,
Berechnet Wirbelwirkung, lächelnd und erhaben,
Ihr im Papierkorb feig versteckt!
Auf die Tribüne, Angeklagte!
Entsühnt Euch!
Sprecht Euch Urteil!
Menschkünder Ihr!
Und seid . . .?
So sprecht doch! Sprecht!

An alle Gefangenen

Dämmerung, Schwester der Gefangenen,
Deine Stille schwingt Melodie.
Auf schmaler Pritsche liege ich und lausche . . .
Ich höre Euer Herz klopfen,
Eingekerkert in den Gefängnissen der Kontinente,
Dort . . . und dort . . . und dort . . .
Brüder mir: Kämpfer, Rebellen, – ich grüße Euch.
Eine Welt wollen sie Euch weigern,
Eure Welt aber lebt in Eurem Willen.
Und Euch grüße ich, Brüder in den Kerkern Afrikas und
                                                    Asiens,

Euch, Brüder, in Zuchthäusern der Erde,
Diebe und Einbrecher, Totschläger und Mörder,
Brüder jetzt eines Schicksals, ich grüße Euch.

Wer kann von sich sagen, er sei nicht gefangen?

Ich höre Euer Herz klopfen
Dort ... und dort ... und dort ...
O wäre mir gegeben zu lauschen
Mit der zeitlosen Liebe des geträumten Gottes,
Ich hörte
Den Einen Herzschlag
Aller menschlichen Geschlechter
                    Aller Sterne
                    Aller Tiere
                    Aller Wälder
                    Aller Blumen
                    Aller Steine.

           Ich hörte
           Den Einen Herzschlag
           Alles
           Lebendigen.

WALTER HASENCLEVER

Der politische Dichter

Aus den Zisternen unterirdischer Gruben
Aufstößt sein Mund in Städte weißen Dampf,
Im rasend ausgespritzten Blut der Tuben
Langheulend Arbeit, Pause, Nacht und Kampf.

Mit Zwergen, die auf Buckeln riesig tragen
Der Lasten harte, eingefleischte Schwären,
Mit Sklaven, denen unter Peitschenschlagen
Die Beule reißt am Ruder der Galeeren.

Sein Arm bricht durch gewaltige Kanonaden
Von Völkerschwarm zum Mord gehetzter Heere,
Durch Kot und Stroh und faulend gelbe Maden
Im Kerker aller Revolutionäre.

Oft hängt sein Ohr an kleinen Dächerfirnen,
Wenn aus der Stadt die großen Glocken schlagen,
Mit vielen schweren und gebeugten Stirnen
Gefangenschaft der Armut zu ertragen.

Wenn nächtlich in den Kinos Unglück schauert,
Der Hunger bettelt hinter Marmorhallen,
Mißhandelt stirbt ein Kind und zugemauert
In Kasematten grobe Flüche fallen,

Wenn Defraudanten sich von Brücken werfen,
Im Lichtschein der Paläste aufgewiegelt,
Wenn Anarchisten ihre Messer schärfen,
Mit einem dunkeln Schwur zur Tat besiegelt,

Wenn Unrecht lodernd als der Wahrheit Feuer
Tyrannenhäupter giftig übersprießt,
Bis aus dem Wurm der Erde ungeheuer
Der Blitz des Aufruhrs, der Empörung schießt –

Ah dann: auf höchsten Türmen aller Städte
Hängt ausgespannt sein Herz in Morgenröte;
Asphaltene Dämmerung in des Schläfers Bette
Verscheucht Trompetenton: Steh auf und töte!

Steh auf und töte; Sturmattacken wüten.
Die Ketten rasen von Gewölben nieder.

An Ufern schweigend Parlamente brüten.
Die Kuppel birst. Schon lärmen Freiheitslieder.

Gezückte Rhapsodie berittener Schergen
Jagt quer durch Löcher, leer von Pflastersteinen.
Tumult steigt. Hindernis wächst auf zu Bergen.
Zerstampfte Frauen hinter Läden weinen.

Doch von den Kirchen donnern die Posaunen,
Schmettern Häuser dröhnend auf das Pflaster.
Die Telegraphen durch Provinzen raunen,
Es zuckt in Dynamit der Morsetaster.

Die letzten Züge stocken in den Hallen.
Geschütze rasseln vorwärts und krepieren.
Zerfetzte Massen sich im Blute ballen.
Die Straße klafft auf umgestürzten Tieren.

Aus Fenstern siedet Öl in die Alleen,
Wo Platzmajore aufgespießt verschimmeln.
Der Abend brennt, auf den Fabriken wehen
Die roten Fahnen von den grauen Himmeln. –

Halt ein im Kampf! Auch drüben schlagen Herzen.
Soldaten, Bürger: kennen wir uns wieder?
Brüderliches Wort in Rauch und Schmerzen.
Es sammelt sich der Zug. Formiert die Glieder.

Versöhnte Scharen nach dem Schlosse biegen,
Bis hoch auf dem Balkon der Herrscher steht:
„Nehmt vor den Toten, die hier unten liegen,
Den Hut ab und verneigt Euch, Majestät!" –

Lichtlose Asche. Nacht auf Barrikaden.
Gewalt wird ruchbar, alles ist erlaubt.
Die Diebslaterne schleicht im Vorstadtladen.
Plünderung hebt das Skorpionenhaupt.

Gewürm aus Kellern kriecht ins Bett der Reichen;
Auf weiße Mädchen fällt das nackte Vieh.
Sie schneiden Ringe ab vom Rumpf der Leichen.
Dumpf aus Kanälen heult die Anarchie.

Im Rohen weiter tanzt die wilde Masse
Mit Jakobinermützen, blutumbändert.
Gerechtigkeit, Gesetz der höchsten Rasse:
Vollende Du die Welt, die sie verändert!

Ihr Freiheitskämpfer, werdet Freiheitsrichter,
Bevor die Falschen Euer Werk verraten.
Von Firmamenten steigt der neue Dichter
Herab zu irdischen und größern Taten.

In seinem Auge, das den Morgen wittert,
Verliert die Nacht das Chaos der Umhüllung.
Die Muse flieht. Von seinem Geist umzittert
Baut sich die Erde auf und wird Erfüllung.

Sie reißt von ihrem Schild die alten Thesen,
Die Majorate listig sich vermachen.
Prärieen tragen Brot für alle Wesen,
Denn alle Früchte reifen auch dem Schwachen.

Nicht in dem Schatten stählerner Emphoren
Erglühen Trusts, die ihre Beute jagen:
Ihr Präsidenten, eilt und seid geboren,
Den tausendköpfigen Moloch zu erschlagen!

Die Macht zerfällt. Wir werden uns vereinen.
Wir, schaukelnd auf atlantischen Transporten,
Auswandrer, denen Heimatwolken scheinen.
Europa naht. Es sinken Eisenpforten.

Jünglinge stehn in Universitäten
Und Söhne auf, die ihre Väter hassen,

Der Schuß geht los. In ausgedörrten Städten
Minister nicht mehr an den Tafeln prassen.

Das Volk verdirbt. Sie reden von Tribünen.
Schwemmt nicht die Lache Blut in ihren Saal?
Wann werden sie die Qual der Toten sühnen?
Schon durch die Länder läutet das Signal. –

Der Dichter träumt nicht mehr in blauen Buchten.
Er sieht aus Höfen helle Schwärme reiten.
Sein Fuß bedeckt die Leichen der Verruchten.
Sein Haupt erhebt sich, Völker zu begleiten.

Er wird ihr Führer sein. Er wird verkünden.
Die Flamme seines Wortes wird Musik.
Er wird den großen Bund der Staaten gründen.
Das Recht des Menschentums. Die Republik.

Kongresse blühn. Nationen sich beschwingen.
An weiten Meeren werden Ufer wohnen.
Sie leben nicht, einander zu verschlingen:
Verbrüdert ist ihr Herz in starren Zonen.

Nicht Kriege werden die Gewalt vernichten.
Stellt Generäle an auf Jahrmarktfesten.
Dem Frieden eine Stätte zu errichten,
Versammelt sind die Edelsten und Besten.

Nicht mehr in Waffen siegt ein Volk, Du weißt es;
Denn keine Schlacht entscheidet seinen Lauf.
So steige mit der Krone Deines Geistes,
Geliebte Schar, aus taubem Grabe auf!

1917

Halte wach den Haß. Halte wach das Leid.
Brenne weiter am Stahl der Einsamkeit.

Glaub nicht, wenn Du liest auf Deinem Papier,
Ein Mensch ist getötet, er gleicht nicht Dir.

Glaub nicht, wenn Du siehst den entsetzlichen Zug
Einer Mutter, die ihre Kleinen trug

Aus dem rauchenden Kessel der brüllenden Schlacht,
Das Unglück ist nicht von Dir gemacht.

Heran zu dem elenden Leichenschrein,
Wo aus Fetzen starrt eines Toten Bein.

Bei dem fremden Mann, vom Wurm zernagt,
Falle nieder, Du, sei angeklagt.

Empfange die ungeliebte Qual
Aller Verstoßnen in diesem Mal.

Ein letztes Aug, das am Äther trinkt,
Den Ruf, der in Verdammnis sinkt;

Die brennende Wildnis der schreienden Luft,
Den rohen Stoß in die kalte Gruft.

Wenn etwas in Deiner Seele bebt,
Das dies Grauen noch überlebt,

So laß es wachsen, auferstehn
Zum Sturm, wenn die Zeiten untergehn.

Tritt mit der Posaune des Jüngsten Gerichts
Hervor, o Mensch, aus tobendem Nichts!

Wenn die Schergen Dich schleppen aufs Schafott,
Halte fest die Macht! Vertrau auf Gott:

Daß in der Menschen Mord, Verrat,
Einst wieder leuchte die gute Tat;

Des Herzens Kraft, der Edlen Sinn
Schweb am gestirnten Himmel hin.

Daß die Sonn, die auf Gute und Böse scheint,
Durch soviel Ströme der Welt geweint,

Gepulst durch unser aller Schlag,
Einst wieder strahle gerechten Tag.

Halte wach den Haß. Halte wach das Leid.
Brenne weiter, Flamme! Es naht die Zeit.

Oft am Erregungsspiel in fremden Zonen
Stockt unser Herz. Doch weiter kreist die Zeit.
Gib, große Erde, stärkre Sensationen,
Daß wir, die nur im Unerfüllten wohnen,
Nicht einsam werden vor Vergänglichkeit!
Denn wer sich liebt, der muß sich selbst zerstören
Und krank nach Festen an der Gasse stehn;
Sein Ohr vermag den Schrei der Nacht zu hören,
Und manches Menschen Auge wird ihn sehn.
Die leere Luft von Kammern und von Zoten
Würgt ihn am Hals. Sein Durst erstickt im Brand.
Da rettet ihn der Schlaf. Begrabt die Toten!
Noch lockt im Osten unbetretnes Land.

Aus welchem Hirn von Gespenstern
Fielst Du auf diesen Planet?
Trug Dich der Wind an den Fenstern,
Der im Hause vor Sterbenden geht?
Bist Du Erscheinung, die kranke,
Von einem Medium gespeist;
Lebst Du, ein dunkler Gedanke,
Und wirst erst, da Du es weißt?
Warst Du ein Unbeseeltes,
Oder ein Opfertier?
Schuf Dich ein Auserwähltes –
Mensch, wo find ich Dich hier!
Es wärmte Dich in den Sphären
Die unvergängliche Zeit;
Frierend auf welchen Meeren
Trankst Du Vergänglichkeit?
Ins unbekannte Gebäude
Entführt Dich ein nächtliches Spiel;
Doch das Sternbild der Freude
Lächelt auch Deinem Ziel.
In den tiefsten Miseren,
Die je Dein Wille erfuhr:
Held und Schwimmer im Leeren –
Ich lieb Deine Erdenspur!

Gott und Mensch

GERRIT ENGELKE

Schöpfung

Nicht Raum, nicht Zeit, nur Nacht und Nacht.
Nur Nacht, von Nacht noch überdacht.
  Ein trächtig Sausen wogend schwoll –

Da! plötzlichgroß ein donnernd „Ich"! erscholl –
  Da: Er! – Er saß in Nacht,
  Und Er – Er war die Nacht.
  Der Anfang war erwacht.
Er saß im Anfangsnacht-Getreibe
Mit schwangerem Hirn und Leibe,
Um Seinen Körper rauchte Schweiß.
  Ein helles Strahlen ging aus Seinem Kopf –
  Und wurde dicht und hell: zum Silber-Mond-Kreis,
  Aus Seinen Augen fiel ein Lichtgetropf:
  Und irrte wirr im Dunkel:
    Sterngefunkel.

  Da scholl es wieder fürchterlich:
  Das All-Gebär-Gebrüll: „Ich"!
Da riß Er auf mit Händekrallen Seine Stirn:
Und offen lag in Dampf: das rote Feuer-Hirn!
  Er riß ein Stück heraus:
  Er ballte eine Kugel draus
  Und hielt das Glühen in die Nacht,

Er hing es in den Braus:
    Die Sonne war erwacht!

Ein Glühgezisch, das Funken sprühte,
Das heiß die schwere Nacht durchglühte,
Daß Mond und jeder Stern verblühte
    Und alles Dunkel schwand.

Hochoben hing der Sonne-Brand.
Da riß Er mit den Händekrallen
Aus Seinem Leib das Alles-Herz!
Schrie „Ich"! und „Ich"! in Dampf und Schmerz –
Und ließ es in die Tiefe fallen –

Er ließ es in die Tiefe fallen
Und setzte Seinen Fuß darauf.
    Und setzte Seinen Fuß auf diese Welt
    Auf Seine, Seine Welt,
Von Sonne überhellt.

Zum Letzten rief er wieder „Ich":
Gedehnt und väterlich beschließend,
Als erster Wohlklang aus Ihm fließend,
Und ließ ein Teilchen Zeugungs-Hirn aus Seiner Hand
Tief abwärts fallen auf das neue, runde Land:

Und da! und da: der Same quoll;
Ein Wesen, neues Wesen schwoll:
Und stieg – und stand auf dem Geroll: –
Der Mensch! der Mensch! der Mensch!

Der sah den All-Gebärer nicht!
Er sah das Licht, nur Licht und Licht!
Er hob ergriffen seine Hände hoch,
Ein schäumend Stammeln seinem Mund entflog,

Das große Leuchten bog
   Seine Knie –

Da brach aus seinem Munde jäh ein Sang:
Voll Rausch, voll niegehörtem Urwelt-Klang:
   Vom wilden Leben hochgeschwellt:
      Hinauf! Hinauf!
   Zum ersten Tag! Zum Ewig-Tag!
   Zum Tag der Welt.

Mensch zu Mensch

Menschen, Menschen alle, streckt die Hände
Über Meere, Wälder in die Welt zur Einigkeit!
Daß sich Herz zu Herzen sende:
Neue Zeit!

Starke Rührung soll aus Euren Aufenthalten
Flutgleich wellen um den Erdeball,
Mensch-zu-Menschen-Liebe glühe, froh verhalten,
Überall!

Was gilt Westen, Süden, Nähe, Weitsein,
Wenn Euch Eine weltentkreiste Seele millionenfältigt!
Euer Mutter-Erde-Blut strömend Ich- und Zeitsein
Überwältigt!

Menschen! Alle Ihr aus einem Grunde,
Alle, Alle aus dem Ewig-Erde-Schoß,
Reißt euch fort aus Geldkampf, Krieg, der Steinstadt-Runde:
Werdet wieder kindergroß!

Menschen! Alle! drängt zur Herzbereitschaft!
Drängt zur Krönung Euer und der Erde!
Einiggroße Menschheitsfreunde, Welt- und Gottgemeinschaft
Werde!

KARL OTTEN

Gott

Ich kann Deinen Namen nicht sagen.
Gebirge von Gedanken den Mantel ihrer Stärke um dich
schlagen.
Du bist ohne Tiefe.
Trätest du den Grund der Ozeane deine Füße blieben
trocken.

Sage ich Dich
Bin ich nicht ich, Zacke am Schatten der Unnennbaren
Die in deines Atems Baumschaukeln gebaren.
Bin ich ein Komma in ihren Sprüchen.
Aber die Nacht deiner Prüfungen hat mich Eule aufgestört.
Dein großes Licht hinter allen Fernen blendet meine
häutigen Augen.

Wenn ich abschließe Tür und Fenster
Und nichts ist, auch nichts nicht
Wenn Du ich so wie Stein ich
Und Sterncherubim ich
Und ich du wie mein Sein Sterben
Wie meine Ruhe Sturm
Und mein Denken Traumbetrachtung
Mein Wille Ablösung
Rührt das Klicken Deines silbernen Nagels
Dein Atem unter dem Urmund
Inwendig mein Sein – Nichtsein
Hinter der Stirn meiner Brust
Ein neues Herz das Dich schlägt.
Gesammelter Glanz allsehenden Augenballes
Umpulst den Keim des neuen Menschen
Den du zeugtest Lichtvater in Erleuchtung.

Du bist wo alles ist
Im warmen Leid,

Im Büßerkleid der Zeit,
Wo das Verstreute auf der Flucht sich sammelt,
Wo keine Zeit, nicht Freud noch Leid,
Nur Schweigsamkeit.
Wo Mensch den eignen Namen stammelt.

MARTIN GUMPERT

Eroberte Stadt

Die ganze Stadt ist eine große Kirche
Voll Andacht, Inbrunst, Reue und Gebet,
Vom Gipfelsturm der Glocken überweht.
Der Tag erbraust in Tätigkeit und Kraft,
Doch nirgends ist ein emsig Herz am Werke,
Die Seelen alle sind zu Gott erschlafft,
Die Augen ruhn, in sich dahingerafft,
Nur in den Glocken rast noch Sinn und Stärke.

Da fällt ein Beben auf die Stadt herab
Und ein Erzittern und ein Fliehenwollen,
Die Mauern stöhnen qualvoll, und ein Grollen
Hebt an und alle Tore spreizen sich
Und aus den übervollen
Jammergetränkten Wänden birst ein Schrei
Und Schreien,
Von Flammen, Steinen überschüttet
Steigt das Grauen
Steil in die Luft:
„Wir taten nichts,
Wir nahten
Uns Dir in Blöße,
Wir ahnten Deines Angesichts
Endlose Größe,
Doch Du spiest Granaten.“

CARL EINSTEIN

Heimkehr

Krieche der Erde.
Krümm dich der Wolke.
Willst du das, Mann?
In Scherben zerrieben, zum Irrsinn gezerrt.
Endloser Wanderer, allein.
Tod läuft dich an,
Streut in rauchige Asche
Aufriß und Ruhm.
Junges leuchtet geehrt.
Jetzt nur Flecken, ein Wisch.
Dies alles.
Schwankst
Und streifst kaum
Gras, das die Hüfte umgrünt.
Keuche zum Himmel.
Knochen, Feigen und Sklaven
Hungert es uns.
Seele verloren,
Läßt es den Leichnam dir taumeln.
Deinen Schatten schreckt staubiger Abend.
Anderer Muscheln,
verschmäht und zergart,
frißt er.
Schämen zerbricht dich.
Innen ermattet
Wirst du des Knaben Erde verspüren.
Niemand grüßt.
Niemand ein Wort.
Nie ruft den Namen
Dir Stimme des Menschen.
Würge dir ein
Hungers Wege.

Aufwärts! da oben
Klingende Türe.
VERHUNGERT.
Himmel grüßt zart,
Bietet dir Kommen und Schluß.

WILHELM KLEMM

Sehnsucht

O Herr, vereinfache meine Worte,
Laß Kürze mein Geheimnis sein.
Gib mir die weise Verlangsamung.
Wieviel kann beschlossen sein in drei Silben!

Schenk mir die glühenden Siegel,
Die Knoten, die Fernstes verknüpfen,
Gib den Kampfruf aus den heimlichen Schlachten der Seele,
Laß quellen den Schrei aus grünen Waldeskehlen.

Feuersignale, über Abgründe geblinkt,
Botschaften, in fremde Herzen gehaucht,
Flaschenposten im Meere der Zeit,
Aufgefangen nach vielen Jahrhunderten.

Asia

Komm näher, mein Asien! Durch deine Klüfte
Galoppieren noch immer die Reiter der Makedonen,
Alexander ist nicht gestorben! Und die trüben Geister der
                                                    Lüfte
Verlassen dich nicht, noch die Träume, die wonnig im Opium
                                                    wohnen.

Du fliegst daher auf den Flügeln der Steppen,
Deine goldenen Brüste baden sich in den lauen
Meeren, und deine herrlichen, blauen
Nächte funkeln über Chinas Ebenholztreppen.
Wiege der Götter bist du. Das Paradies thront.
Menschengeschlechterkaskaden rauschen und heilige Schriften,
Hier sind Lotosblume, Kreuz und halber Mond.
Heimat der Seuchen bist du und furchtbaren Gifte!
Rauchmäuler öffnen sich, ungeheure Umarmung der Toten,
Götter und Vizegötter, mythenverwachsener Wald,
Bodenlose Süßigkeit von all dem, was verrucht und verboten
Birgst du, und was in Menschenherzen sich ahnungsvoll ballt,
Leidenschaften, auf Allmacht gerichtet,
Offenbarung, die vom Leiden befreit,
Süßeste Urfetische, und der Liebe zehntausend Gesichter,
Und ein ewiges Lächeln, schön, wie ein Bild aus alter Zeit:
Im Azurtempel, am Fuß des Gebirges war
Der Ort, wo die letzte Weisheit erkannte der Weise –
Die Berge grünten in ihrem Lockenhaar,
Und die Lilien blühten neben dem Eise.

Meine Zeit

Gesang und Riesenstädte, Traumlawinen,
Verblaßte Länder, Pole ohne Ruhm,
Die sündigen Weiber, Not und Heldentum,
Gespensterbrauen, Sturm auf Eisenschienen.

In Wolkenfernen trommeln die Propeller.
Völker zerfließen. Bücher werden Hexen.
Die Seele schrumpft zu winzigen Komplexen.
Tot ist die Kunst. Die Stunden kreisen schneller.

O meine Zeit! So namenlos zerrissen,
So ohne Stern, so daseinsarm im Wissen
Wie du, will keine, keine mir erscheinen.

Noch hob ihr Haupt so hoch niemals die Sphinx!
Du aber siehst am Wege rechts und links
Furchtlos vor Qual des Wahnsinns Abgrund weinen!

Melancholie

Die Wälder bluten schwarz hinab ins Tal.
Die Nacht schließt sich darüber wie eine Falle.
Der Himmel ist matter Tuff. Alles schweigt.
Im Hintergrund wird einer vom Teufel geholt.

Nichts. Gedämpft bis zur Unhörbarkeit
Wird mein Herzschlag. Ich sitze mit jemand zusammen,
Der mir mit müder, einförmiger Stimme
Die Geschichte meines eignen Lebens erzählt.

Das Nest meiner Träume ist leer.
Mit furchtbarer Kraft hebt die Ohnmacht,
Der monotone Koloß, das elastische Haupt
Und neigt es schwer gegen meine knisternde Stirn.

Geschehen

Gestalten leuchten braunrosa, Versucher lächeln,
Durch jede Bewegung schimmert
Die traumhafte Fülle des Zusammenhangs.
Wer ist Schöpfer und wer ist Geschöpf?

Frisch weht es heran wie der Hauch über großen Strömen,
Blumen duften nach Vergessenheit,
Gesteine dunkeln in ruhigem Glanz,
Lange Strahlen durchbohren mein bewegtes Herz.

Ein Schwarm von Geliebten zieht über die Seele.
Jeder kann wissen und besitzen, so viel er will,

Die goldenen Drachen der Leidenschaft
Und den Ritt auf den grauen Rossen des Unheils.

Verschwenderisch und sparsam zugleich
Schichtet sich das unermeßliche Geschehen,
Und was in beklemmende Rätsel gehüllt ist
Erscheint wie Tiefe und Erinnerung.

MAX HERRMANN-NEISSE

Ich nahm den sehr verhaßten Pfad – –

Ich nahm den sehr verhaßten Pfad, wo zwischen
modernden Teichen dich ein Hohlweg fängt;
wo Dunst von Unrat und verwesten Fischen
als Wolke über deinem Atem hängt;
wo immer Nacht ist; wo sich die Gedanken
wie Kröten ducken in das düstre Moor
und deine Wünsche sich mit widrig kranken,
geifernden Gliedern klammern an das Rohr.
Dort suchte ich das Letzte zu erschleichen,
ob es mir irgend noch beschieden sei,
in deiner frechsten Fratze zu erbleichen,
Mißton zu spein aus deinem Eulenschrei.
Ich suche dich in deiner letzten Öde,
in deiner Scham, in der dich keiner liebt,
ich aber suche noch die glücklos blöde
Grimasse, die dein Angesicht verschiebt,
und ich will lieben deine scheelste Schande,
der ich in deinem Stolz nicht leuchten darf,
und den sein Schicksal aus dem Morgenlande
erträumter Heimat als Enterbten warf.
Leicht ist es, dich im lichten Laub zu finden, –

ich will dich, wo du heillos häßlich bist,
feindselig und entstellt, mit gierig blinden,
tappenden Gesten abgefeimter List
Nachstellungen ersinnst und Hinterhälte
und nicht das eigne Königtum mehr kennst,
wo eine künstlich hingehaltne Kälte
die Flamme leugnet, drin du qualvoll brennst.
Ich suche dich in deinem schlimmsten Flecken,
dort, wo du wertlos und voll Ekel sinkst,
will ich für meine Demut dich entdecken,
daß du mit mir aus einem Scherben trinkst,
die Schale Fäulnis trinkst, und doch derselben
lechzenden Durstbegierde einverleibt
dein Mund und meiner, und in schmutzig gelben
Lehmfurchen meine Spur an deiner bleibt;
mit dir ein Schade sein und ein Gebrechen,
die letzte Gnade, die ich mir erbat,
mit dir die lästerlichsten Zoten sprechen,
mit dir der Helfer widerlichster Tat:
doch irgendwie in deine Schlucht zu schlüpfen
und teilzuhaben, sei es, wo zuletzt
du dich verlierst, mich innig zu verknüpfen
dem Netz, in das der gleiche Haß uns hetzt,
ist Gnade vor der einsam blauen Lichtung,
wo Reinheit Rache wird am fernen Mond,
und noch mit dir Verrat und Selbstvernichtung
ist mehr als Ewigkeit, die einsam thront.

Aus der Nachfolge Jakob Böhmes

Durch meine Fenster fallen Flagellationen

Einsam bin ich unter Bilder gebettet,
die mich seltsam mit tiefen Stimmen höhnen,
Stiegen gehn durch mein Herz, die von Schritten stöhnen,
und Keller sind an meine Kniee gekettet.

Durch meine Fenster fallen Flagellationen
blutend in mein Angesicht. Die Zeiger
der Uhren machen mich weggeworfener, feiger,
und der Stunden lange, launische Prozessionen.

Die Kälte der Höfe bricht in meine Kissen,
durch mein Atmen jagen sich heiser die frierenden Hunde,
jedes Tor ist an meinem Leib eine offene Wunde,
in die sich Bücherberge und Gebete verbissen.

Über meine Hände strömen die Straßen Licht . . .
Häuser liegen auf meiner Brust wie schwere Visionen.
Durch meine Fenster fallen Flagellationen
blutend in mein Angesicht.

Und lande an dem schattenhaften Tor

Kaum ahnst du die Verdunklung der Gedanken,
die noch das Hellste meines Tages quälen,
wenn ich nicht weiß, wo ich den Weg soll wählen
durch dies Gestrüpp, in das die Sterne sanken . . .

Du kennst von meinem krankhaft abgewandten,
wahrhaften Antlitz kaum die eine Falte,
du siehst nicht, wie ich schmerzhaft an mich halte,
die Scham zu schonen der von Gott Gesandten. —

Und wie ich wandle, weiß ich nicht: wohin . . .
Und weiß nicht, ob ich irgendwem entwich,
ob dies zum Ende deutet, zum Beginn . . .

Und zwischen Meer und Wüste sucht mein Ich,
was es vielleicht für ewig längst verlor,
und landet leer an dem verschloßnen Tor.

Dein Haar hat Lieder, die ich liebe

Dein Haar hat Lieder, die ich liebe,
und sanfte Abende am Meer –
O glückte mir die Welt! O bliebe
mein Tag nicht stets unselig leer!

So kann ich nichts, als matt verlegen
vertrösten oder wehe tun,
und von den wundersamsten Wegen
bleibt mir der Staub nur auf den Schuhn.

Und meine Träume sind wie Diebe,
und meine Freuden frieren sehr –
dein Haar hat Lieder, die ich liebe,
und sanfte Abende am Meer.

JAKOB HARINGER

An den Mond

Auch du wirst fallen in irgendeiner Nacht.
Dein Kirschenleib ist süß wie
Das weiße Fleisch kühler Augustdamen. Du armer
Toter Same, angenagelt an Mariens Harfenschoß, da
Der Heiland Pelikan kleins Weltgericht tränt,
Im Himmel, wo die seligen Höllen jubeln.
Auch du wirst fallen wie das Weinen einer verlaßnen Frau,
Die Träne des Mädchens, die der Frühlingswind trocknet;
O kleiner Blumenstock am Fenster der Trauer,
Du Gefangner, der in seiner Zelle all
Seine schönen Lieder pfeift. Du Nonne, die ein
Längst verstorbnes Wort spricht. Du Stöhnen

Aus Gottes Krankenzimmer, banger Amselruf
In die schwarzen Träume einer
Mutter – – –

Tränen

Die alten Zimmer duften blaue Güte,
Die schöne Frau hurt mit ihr'm toten Mann,
Der Mädchen Füße purpurn sträubend Süden.
O Gott... da fängt es leis zu regnen an.
Aus fetter Bibel fallen Kinderblätter.
Bräustübl strahlt des Lebens Zeichnerein,
Ein dummes Kirchlein malt uns wieder Später,
Ein kleiner Engel schaut zum Fenster rein.
Der Glanz des Mittags ist so still gestorben,
Großmutter plätschert Lotto – Domino.
Die Armut schneit aus deinen Sommerworten,
Du klagst, und alle andern sind so froh.
Theater silbern unsre Schatten kindlich,
O Welt, du Grab – so grünt das Grab zur Welt,
Die Gassen stolpern unsre Augen sündig,
Was soll mir Gott und Stern – so ohne Geld!
Die Apotheken duften. Freunde reden,
Ein alter Hof schmeckt gut nach Schnupftabak,
Du Bruder Gott... es ist zu spät zum Beten –
Marie, mir ist, als würd ich wieder krank.

HERMANN KASACK

Der schmerzliche Baum

Der schmerzliche Baum
greift in den Himmel.
Schmäht der Wolke,

die regenstreichelt.
Ballt die Faust,
geduckt –
springt hoch.
Rot klafft der Horizont.

Der schmerzliche Baum kniet.

Der Himmel schaufelt Nacht ..

Die tragische Sendung

I

Ich lief die Gestade des Abends entlang,
vorbei flogen die himmlischen Landschaften,
vorbei die irrenden Tiere –
Ich lief –
Menschen starben an mir vorüber,
ich bebte die Trauer nieder, die mich umfloß –
Ich lief den Ton hinan, den seltsamen Ton,
der mich begrub, dem ich entsprang.

II

Menschliches Antlitz, plötzlich so nahe:
O welche Nähe! Entzückung! und Trost!
Bist du Musik? Bist du die Liebe – ?
Laß mich verweilen in deinem Gefühl.

III

Ich lief –
– was Flucht und hinan!
Blind! Blind!
Ich lief mich zurück –
Ich lief mich zum Kreis –

Ich lief den seltsamen Ton hinan,
ich klammerte aufwärts,
ich hing herab –
Verweilen? Ach, wohin verweile ich mich – ?
Ich lief –

ADOLF VON HATZFELD

Gesang

Im Zimmer neben mir singt meines Weibes Stimme.
Bist du das, Gott, der solche schwere Worte
tief in mein Innres wirft, daß ich entfliehe?
Du großer Gott, jetzt weiß ich, daß ich drunten
ganz unten in der Seele fast verblute.
Denn alles, was in meinem Wesen ruhte,
was schlief an Tagen und an schweren Jahren,
das blutet jetzt aus dieses Weibes Stimme.
Wie ist sein Klagen mir vertraut, und alle Dinge
sind schwerer wieder, die mir leicht erschienen.
Bist du es, Gott, rufst du so bang aus ihnen
und klagst und wirfst den Kampf mir in die Brust,
daß ich mich durch die Wand des Zimmers breche
und mich an aller Tage furchtbar Wehem räche,
daß ich den Körper dieser Stimme niedersteche?

Wie bin ich Zufall. Wie ist dieses Kleid,
das über meinem Körper leise bebt,
wie ist das Zufall. Wie ist dieses Leid,
das langsam durch die dumpfen Glieder schleicht,
wie ist es Zufall.
Von einer Frauenstimme bebt das ganze All.
Wie rauscht und bricht sich dieses Spiel
an allen Dingen wie ein Wasserfall.

O Gott, laß diese Stimme leiser werden.
Denn alle Himmel ruhn in ihr und alle Erden.
Gib, daß ich Welt erkenne und dir nahe bin,
dir und deinem alten, uralten Schöpfungssinn.

KURT HEYNICKE

Gedicht

Ich bin im Dämmern eingeschlossen
ich bin in dunkle Schale ausgegossen
im atemlosen Nichtsein uferfern geboren.
Die Nächte tragen meine Narrenkappe feucht im Haar,
ich fühle Strassen meinen Sinn durchsausen
ich will in Gottes Sternenarme brausen
und sinke dunkel in das tiefe Ich.

Das namenlose Angesicht

Gott,
überall stürzt der Name
auf mich,
in mich,
aus mir,
der Welt entgegen –
allüberall!

Er ist nicht Angesicht,
ist nicht Gestalt,
sein Name ist Echo,
das im Wald meiner Seele aufhallt.

Gott, Name für selige Fahrten,
o Worte der Nacht,
mit brennender Lippe gestammelt –
Klang aller Sehnsucht
aus den Tiefen der Seele über die Erde geflogen!

Gott,
o Name, geworfen über der Geliebten lächelnden
                                                    Schlaf,
im Überfließen flammend empor!

Gott,
in der Brust ureigen geboren,
du wehes Schluchzen des ratlosen Lebens,
Gott,
in der Schlacht in furchtbare Flüche gespalten,
erkaltend in der zerbrechenden Seele
im brausenden Nein! der Geschosse erdolcht!

Gott,
o du fernlächelndes Licht,
wenn die Tore der Erde zufallen,
und der Geist entfesselt ins silberne Reich entfliegt.
Ja, Gott, du Name allüberall in Himmel und Erde,
Segen und Fluch und Sterben und Werde –
Gott, der Menschen eigene Tat –
Gott!

Gesang

In mir ist blauer Himmel;
ich trage die Erde,
trage die Liebe,
mich
und die Freude.

Sonne kniet vor mir,
aufsteigt das Korn,
ewiger Born fließt über die Lenden der Erde.

Werde!
Aufjubelnde Seele des All!
Ich bin ein Mensch im Arme des ewigen Werdens,
Geheimnis ist selig erschlossen,
ich bin in mich selber hell ausgegossen,
mit blauem Riesenfittich schweb' ich gen Sonne!

Stürzt die Ferne in meine Seele,
singt süßer Sang in mir,
ich fühle,
endelos,
daß ich nicht einsam bin.

So nahe du bist,
Bruder Mensch,
die Ferne, die den Bogen um uns schlägt,
eint unsern Traum,
wenn das Angesicht Gottes sich über uns wölbt
und donnernd der Raum unserer Gedanken
über die gleichen Gebete unserer Freundschaft stürzt.

Eine
Sehnsucht ist der Kreis unserer Hände!
O, laßt uns lächeln über den Tälern der Menschen –
wie die Seele des Monds,
die silbern träumt ...

Das Bild

Welt,
wie du taumelst!
An meiner ausgestreckten Hand vorbei,
bunt und blutbefallen,
Welt!

Es stürzt ein Schrei von Mitternacht gen Mitternacht,
ein Schrei, o Welt,
dein Schrei!

Deiner Mütter Schrei
deiner Kinder Schrei –
Heere wanken an roter Wand,
rauchend und röchelnd sinkt goldenes Land,
Heere wanken und steigen und gehn –
ewig Heere,
Kriegerheere,
Mütterheere,
Menschenheere!

Taumeln, Fallen, Gebären und Stehn!
Hände kämpfen und bluten und flehn,
Hände, Leiber und Angesichte
gelb im vergifteten Lichte der Tage,
stürze, o Welt!

Ich will nicht an den Wänden stehn!
O, meine Brüder!
Ich will untergehn!

Traumländer

GEORG TRAKL

Trübsinn

Weltunglück geistert durch den Nachmittag.
Baracken fliehn durch Gärtchen braun und wüst.
Lichtschnuppen gaukeln um verbrannten Mist,
Zwei Schläfer schwanken heimwärts, grau und vag.

Auf der verdorrten Wiese läuft ein Kind
Und spielt mit seinen Augen schwarz und glatt.
Das Gold tropft von den Büschen trüb und matt.
Ein alter Mann dreht traurig sich im Wind.

Am Abend wieder über meinem Haupt
Saturn lenkt stumm ein elendes Geschick.
Ein Baum, ein Hund tritt hinter sich zurück
Und schwarz schwankt Gottes Himmel und entlaubt.

Ein Fischlein gleitet schnell hinab den Bach;
Und leise rührt des toten Freundes Hand
Und glättet liebend Stirne und Gewand.
Ein Licht ruft Schatten in den Zimmern wach.

De profundis

Es ist ein Stoppelfeld, in das ein schwarzer Regen fällt.
Es ist ein brauner Baum, der einsam dasteht.

Es ist ein Zischelwind, der leere Hütten umkreist –
Wie traurig dieser Abend.

Am Weiler vorbei
Sammelt die sanfte Waise noch spärliche Ähren ein.
Ihre Augen weiden rund und goldig in der Dämmerun
Und ihr Schoß harrt des himmlischen Bräutigams.

Bei der Heimkehr
Fanden die Hirten den süßen Leib
Verwest im Dornenbusch.

Ein Schatten bin ich ferne finsteren Dörfern.
Gottes Schweigen
Trank ich aus dem Brunnen des Hains.

Auf meine Stirne tritt kaltes Metall.
Spinnen suchen mein Herz.
Es ist ein Licht, das in meinem Mund erlöscht.

Nachts fand ich mich auf einer Heide,
Starrend von Unrat und Staub der Sterne.
Im Haselgebüsch
Klangen wieder kristallne Engel.

Drei Blicke in einen Opal
An Erhard Buschbeck

1

Blick in Opal: ein Dorf umkränzt von dürrem Wein,
Der Stille grauer Wolken, gelber Felsenhügel
Und abendlicher Quellen Kühle: Zwillingsspiegel
Umrahmt von Schatten und von schleimigem Gestein.

Des Herbstes Weg und Kreuze gehn in Abend ein,
Singende Pilger und die blutbefleckten Linnen.

Des Einsamen Gestalt kehrt also sich nach innen
Und geht, ein bleicher Engel, durch den leeren Hain.

Aus Schwarzem bläst der Föhn. Mit Satyrn im Verein
Sind schlanke Weiblein; Mönche der Wollust bleiche Priester,
Ihr Wahnsinn schmückt mit Lilien sich schön und düster
Und hebt die Hände auf zu Gottes goldenem Schrein.

2

Der ihn befeuchtet, rosig hängt ein Tropfen Tau
Im Rosmarin: hinfließt ein Hauch von Grabgerüchen,
Spitälern, wirr erfüllt von Fieberschrein und Flüchen.
Gebein steigt aus dem Erbbegräbnis morsch und grau.

In blauem Schleim und Schleiern tanzt des Greisen Frau,
Das schmutzstarrende Haar erfüllt von schwarzen Tränen,
Die Knaben träumen wirr in dürren Weidensträhnen
Und ihre Stirnen sind von Aussatz kahl und rauh.

Durchs Bogenfenster sinkt ein Abend lind und lau.
Ein Heiliger tritt aus seinen schwarzen Wundenmalen.
Die Purpurschnecken kriechen aus zerbrochenen Schalen
Und speien Blut in Dorngewinde starr und grau.

3

Die Blinden streuen in eiternde Wunden Weiherauch.
Rotgoldene Gewänder; Fackeln; Psalmsingen;
Und Mädchen, die wie Gift den Leib des Herrn umschlingen.
Gestalten schreiten wächsernstarr durch Glut und Rauch.

Aussätziger mitternächtigen Tanz führt an ein Gauch
Dürrknöchern. Garten wunderlicher Abenteuer;
Verzerrtes; Blumenfratzen, Lachen; Ungeheuer
Und rollendes Gestirn im schwarzen Dornenstrauch.

O Armut, Bettelsuppe, Brot und süßer Lauch;
Des Lebens Träumerei in Hütten vor den Wäldern.
Grau härtet sich der Himmel über gelben Feldern
Und eine Abendglocke singt nach altem Brauch.

Ruh und Schweigen

Hirten begruben die Sonne im kahlen Wald.
Ein Fischer zog
In härenem Netz den Mond aus frierendem Weiher.

In blauem Kristall
Wohnt der bleiche Mensch, die Wang' an seine Sterne gelehnt;
Oder er neigt das Haupt in purpurnem Schlaf.

Doch immer rührt der schwarze Flug der Vögel
Den Schauenden, das Heilige blauer Blumen,
Denkt die nahe Stille Vergessenes, erloschene Engel.

Wieder nachtet die Stirne in mondenem Gestein;
Ein strahlender Jüngling
Erscheint die Schwester in Herbst und schwarzer Verwesung.

Kaspar Hauser Lied
Für Bessie Loos

Er wahrlich liebte die Sonne, die purpurn den Hügel
                            hinabstieg,
Die Wege des Walds, den singenden Schwarzvogel
Und die Freude des Grüns.

Ernsthaft war sein Wohnen im Schatten des Baums
Und rein sein Antlitz.

Gott sprach eine sanfte Flamme zu seinem Herzen:
O Mensch!

Stille fand sein Schritt die Stadt am Abend;
Die dunkle Klage seines Munds:
Ich will ein Reiter werden.

Ihm aber folgte Busch und Tier,
Haus und Dämmergarten weißer Menschen
Und sein Mörder suchte nach ihm.

Frühling und Sommer und schön der Herbst
Des Gerechten, sein leiser Schritt
An den dunklen Zimmern Träumender hin.
Nachts blieb er mit seinem Stern allein;

Sah, daß Schnee fiel in kahles Gezweig
Und im dämmernden Hausflur den Schatten des Mörders.

Silbern sank des Ungebornen Haupt hin.

Geburt

Gebirge: Schwärze, Schweigen und Schnee.
Rot vom Wald niedersteigt die Jagd;
O, die moosigen Blicke des Wilds.

Stille der Mutter; unter schwarzen Tannen
Öffnen sich die schlafenden Hände,
Wenn verfallen der kalte Mond erscheint.

O, die Geburt des Menschen. Nächtlich rauscht
Blaues Wasser im Felsengrund;
Seufzend erblickt sein Bild der gefallene Engel,

Erwacht ein Bleiches in dumpfer Stube.
Zwei Monde
Erglänzen die Augen der steinernen Greisin.

Weh, der Gebärenden Schrei. Mit schwarzem Flügel
Rührt die Knabenschläfe die Nacht,
Schnee, der leise aus purpurner Wolke sinkt.

Abendland

Else Lasker-Schüler in Verehrung

1

Mond, als träte ein Totes
Aus blauer Höhle,
Und es fallen der Blüten
Viele über den Felsenpfad.
Silbern weint ein Krankes
Am Abendweiher,
Auf schwarzem Kahn
Hinüberstarben Liebende.

Oder es läuten die Schritte
Elis' durch den Hain
Den hyazinthenen
Wieder verhallend unter Eichen.
O des Knaben Gestalt
Geformt aus kristallenen Tränen,
Nächtigen Schatten.
Zackige Blitze erhellen die Schläfe
Die immerkühle,
Wenn am grünenden Hügel
Frühlingsgewitter ertönt.

2

So leise sind die grünen Wälder
Unserer Heimat,

Die kristallne Woge
Hinsterbend an verfallner Mauer
Und wir haben im Schlaf geweint;
Wandern mit zögernden Schritten
An der dornigen Hecke hin
Singende im Abendsommer
In heiliger Ruh
Des fern verstrahlenden Weinbergs;
Schatten nun im kühlen Schoß
Der Nacht, trauernde Adler.
So leise schließt ein mondener Strahl
Die purpurnen Male der Schwermut.

3

Ihr großen Städte
steinern aufgebaut
in der Ebene!
So sprachlos folgt
der Heimatlose
mit dunkler Stirne dem Wind,
kahlen Bäumen am Hügel.
Ihr weithin dämmernden Ströme!
Gewaltig ängstet
schaurige Abendröte
im Sturmgewölk.
Ihr sterbenden Völker!
Bleiche Woge
zerschellend am Strande der Nacht,
fallende Sterne.

Grodek ✳

Am Abend tönen die herbstlichen Wälder
Von tödlichen Waffen, die goldnen Ebenen
Und blauen Seen, darüber die Sonne

Düstrer hinrollt; umfängt die Nacht
Sterbende Krieger, die wilde Klage
Ihrer zerbrochenen Münder.
Doch stille sammelt im Weidengrund
Rotes Gewölk, darin ein zürnender Gott wohnt,
Das vergoßne Blut sich, mondne Kühle.
Alle Straßen münden in schwarze Verwesung.
Unter goldnem Gezweig der Nacht und Sternen
Es schwankt der Schwester Schatten durch den schweigenden Hain,
Zu grüßen die Geister der Helden, die blutenden Häupter;
Und leise tönen im Rohr die dunklen Flöten des Herbstes.
O stolzere Trauer! ihr ehernen Altäre,
Die heiße Flamme des Geistes nährt heute ein gewaltiger Schmerz,
Die ungebornen Enkel.

ELSE LASKER-SCHÜLER

Weltende

Es ist ein Weinen in der Welt,
Als ob der liebe Gott gestorben wär,
Und der bleierne Schatten, der niederfällt,
Lastet grabesschwer.

Komm, wir wollen uns näher verbergen . . .
Das Leben liegt in aller Herzen
Wie in Särgen.

Du! wir wollen uns tief küssen —
Es pocht eine Sehnsucht an die Welt,
An der wir sterben müssen.

Else Lasker-Schüler

Liebes Gedicht [handwritten]

An old Tibet carpet [handwritten]

Ein alter Tibetteppich *

Deine Seele, die die meine liebet, *interweaving souls* [handwritten]
Ist verwirkt mit ihr im Teppichtibet.

interwoven [handwritten]   *carpet tibet* [handwritten]

ray [handwritten]   *He was* [handwritten]
Strahl in Strahl, verliebte Farben, *heaven long woo—ed* [handwritten]   *beaming w/* [handwritten]
Sterne, die sich himmellang umwarben. *love.* [handwritten]

valuable [handwritten]
Unsere Füße ruhen auf der Kostbarkeit,
Maschentausendabertausendweit.

Stiches 1000 upon 1000 in distance [handwritten]
Dear Dalai Lama [handwritten]   *Throne made of musk plants* [handwritten]
Süßer Lamasohn auf Moschuspflanzenthron,
Wie lange küßt dein Mund den meinen wohl
Und Wang die Wange buntgeknüpfte Zeiten schon?

Cheek [handwritten]   *rubbed against my cheek* [handwritten]
& colorfully joined up many times? [handwritten]

Abend

Hauche über den Frost meines Herzens
Und wenn du es zwitschern hörst,
Fürchte dich nicht vor seinem schwarzen Lenz.

Immer dachte das kalte Wundergespenst an mich
Und säete unter meinen Füßen – Schierling.

Nun prägt in Sternen auf meine Leibessäule
Ein weinender Engel die Inschrift.

Heimweh

Ich kann die Sprache
Dieses kühlen Landes nicht,
Und seinen Schritt nicht gehn.

Auch die Wolken, die vorbeiziehn,
Weiß ich nicht zu deuten.

Die Nacht ist eine Stiefkönigin.

Immer muß ich an die Pharaonenwälder denken
Und küsse die Bilder meiner Sterne.

Meine Lippen leuchten schon
Und sprechen Fernes,

Und bin ein buntes Bilderbuch
Auf deinem Schoß.

Aber dein Antlitz spinnt
Einen Schleier aus Weinen.

Meinen schillernden Vögeln
Sind die Korallen ausgestochen,

An den Hecken der Gärten
Versteinern sich ihre weichen Nester.

Wer salbt meine toten Paläste –
Sie trugen die Kronen meiner Väter,
Ihre Gebete versanken im heiligen Fluß.

Das Lied des Spielprinzen

Wie kann ich dich mehr noch lieben?
Ich sehe den Tieren und Blumen
Bei der Liebe zu.

Küssen sich zwei Sterne,
Oder bilden Wolken ein Bild –
Wir spielten es schon zarter.

Und deine harte Stirne,
Ich kann mich so recht an sie lehnen,
Sitz drauf wie auf einem Giebel.

Und in deines Kinnes Grube
Bau ich mir ein Raubnest –
Bis – du mich aufgefressen hast.

Find dann einmal morgens
Nur noch meine Kniee,
Zwei gelbe Skarabäen für eines Kaisers Ring.

Dem Barbaren

Ich liege in den Nächten
Auf deinem Angesicht.

Auf deines Leibes Steppe
Pflanze ich Zedern und Mandelbäume.

Ich wühle in deiner Brust unermüdlich
Nach den goldenen Freuden Pharaos.

Aber deine Lippen sind schwer,
Meine Wunder erlösen sie nicht.

Hebe doch deine Schneehimmel
Von meiner Seele –

Deine diamantnen Träume
Schneiden meine Adern auf.

Ich bin Joseph und trage einen süßen Gürtel
Um meine bunte Haut.

Dich beglückt das erschrockene Rauschen
Meiner Muscheln.

Aber dein Herz läßt keine Meere mehr ein.
O du!

Abel

Kains Augen sind nicht gottwohlgefällig,
Abels Angesicht ist ein goldener Garten,
Abels Augen sind Nachtigallen.

Immer singt Abel so hell
Zu den Saiten seiner Seele,
Aber durch Kains Leib führen die Gräben der Stadt.

Und er wird seinen Bruder erschlagen –
Abel, Abel, dein Blut färbt den Himmel tief.

Wo ist Kain, da ich ihn stürmen will:
Hast du die Süßvögel erschlagen
In deines Bruders Angesicht?!!

Gebet

Ich suche allerlanden eine Stadt,
Die einen Engel vor der Pforte hat.
Ich trage seinen großen Flügel
Gebrochen schwer am Schulterblatt
Und in der Stirne seinen Stern als Siegel.

Und wandle immer in die Nacht . . .
Ich habe Liebe in die Welt gebracht –
Daß blau zu blühen jedes Herz vermag,

Und hab ein Leben müde mich gewacht,
In Gott gehüllt den dunklen Atemschlag.

O Gott, schließ um mich deinen Mantel fest;
Ich weiß, ich bin im Kugelglas der Rest,
Und wenn der letzte Mensch die Welt vergießt,
Du mich nicht wieder aus der Allmacht läßt
Und sich ein neuer Erdball um mich schließt.

Das Lied meines Lebens

Sieh in mein verwandertes Gesicht ...
Tiefer beugen sich die Sterne.
Sieh in mein verwandertes Gesicht.

Alle meine Blumenwege
Führen auf dunkle Gewässer,
Geschwister, die sich tödlich stritten.

Greise sind die Sterne geworden ...
Sieh in mein verwandertes Gesicht.

YVAN GOLL

In uralten Seen

In uralten Seen
Hausen die traurigen Fische
Mit den Augen aus Furcht

Indessen die rosa Hügel rundum tanzen
Wie die Hügel der Bibel

Auf Schaumpferdchen schaukelt
Ein kleiner Wind –

Aus unseren uralten Augen
Lächelt es golden
Doch darunter haust eine traurige Furcht

Ballade von einem Traum auf der Flucht

Über der Erde Wundmalen
Kreisten gekreuzigte Kathedralen,
Donnernde Dome und zwitschernde Kapellen,
Dunkler Glockenflügel schattende Wellen.
O so bröckelte das Gebirg eines Jahrtausends!
Wolke unsrer Flucht, trunkenes Himmelssausen,
Schwebend um unsere Schritte!
Jedes Wort gemurmelt war Gelübde und Bitte.

Aber Gott war gestürzt!
Die Blumennacht mit Phosphorduft gewürzt.
Steinerne Marien, zitternden Sohn an der Hand,
Wandelten unter uns unerkannt.
Von den grossen Kirchen der Novemberstädte
Waren die Türme geflohn, beinerne Skelette.
Zeitlos starrten die Uhren,
Blickleere Eulen in Büschen blind.

Da wehten Orgeln wie Rauschen erwachender Fluren,
Da flügelten Glocken wie Vögel im Wind:
Orgeln und Glocken goldener Hoffnung schollen,
Schwebten wie Wolken hernieder und schwollen.
Blitze leuchteten dann und wann
Wie Befreiung neuer Friedenstag:
Plötzlich aber fiel in den kurzen Bann
Mordes Mörser Donnerschlag!

Der Panamakanal
(Zweite Fassung)

I

Noch lagen die Jahrhunderte des Urwalds mitten zwischen
      den Meeren. Mit goldenen Zacken ausgeschnitten die
      Golfe und Buchten. Mit zähem Hammer zerschlug der
      Wasserfall die gestemmten Felsen.
Die Bäume schwollen in den sinnlichen Mittag hinein. Sie
      hatten die roten Blumenflecken der Lust. Schierling
      schäumte und zischte auf hohem Stengel. Und die
      schlanken Lianen tanzten mit weitoffenem Haar.
Wie grüne und blaue Laternen huschten die Papageien durch
      die Nacht des Gebüschs. Tief im fetten Gestrüpp
      rodete das Nashorn. Tiger kam ihm bruderhaft ent-
      gegen vom Flußlauf.
Feurig kreiste die Sonne am goldenen Himmel wie ein Ka-
      russell. Tausendfältig und ewig war das Leben. Und
      wo Tod zu faulen schien: neues Leben sproßte mit
      doppeltem Leuchten.
Noch lag das alte Jahrhundert zwischen den Menschen der
      Erde.

II

Da kamen die langen, langsamen Arbeitertrupps. Die Aus-
      wanderer und die Verbannten. Sie kamen mit Kampf
      und mit der Not.
Mit keuchenden Qualen kamen die Menschen und schlugen
      die dröhnenden Glocken des Metalls.
Sie hoben die Arme wie zum Fluch und rissen den Himmel
      zürnend um ihre nackten Schultern.
Ihr Blut schwitzte in die Scholle. Wieviel magere Kinder,
      wieviel Nächte, angstvolle, wurden an solchem Tag
      vergeudet!
Die Fäuste wie Fackeln aufgereckt. Zerschrieene Häupter.

Aufgestemmte Rümpfe. Es war Arbeit. Es war Elend.
Es war Haß.

So wanden sich die Spanier einst am Marterpfahl. So krümm-
ten sich die Neger einst in verschnürtem Kniefall.

Das aber waren die modernen Arbeitertrupps. Das waren
die heiligen, leidenden Proletarier.

Sie hausten in Baracken und in Lattenhütten stumpf. Geruch
des Bratfischs und der Ekel des Branntweins schwäl-
ten. Die hölzernen Betten stießen sich an wie Särge
im Friedhof.

Am Sonntag sehnte sich eine Ziehharmonika nach Italien
oder nach Kapland. Irgendein krankes Herz schluchzte
sich aus für die tausend andern.

Sie tanzten zusammen mit schwerem, schüchternem Fuß. Sie
wollten die Erde streicheln, die morgen aufschreien
mußte unter der Axt. Dann schlürften sie für fünf
Cents Himbeereis.

Und wieder kam das Taghundert der Arbeit.

III

In ein Siechbett verwandelten sie die Erde. Die roten Fieber
schwollen aus den Schlüften. Und die Wolken der
Moskitos wirbelten um die Sonne.

Kein Baum mehr rauschte. Kein Blumenstern blühte mehr in
dieser Lehmhölle. Kein Vogel schwang sich in den
verlorenen Himmel.

Alles war Schmerz. Alles war Schutt und Schwefel. Alles
war Schrei und Schimpf.

Die Hügel rissen sich die Brust auf im Dynamitkrampf. Aus
den triefenden Schluchten heulten die Wölfe der Sire-
nen. Bagger und Kranen kratzten die Seen auf.

Die Menschen starben in diesem unendlichen Friedhof. Sie
starben überall an der gleichen Qual.

Den Männern entfuhr der tolle Ruf nach Gott, und sie
bäumten sich wie goldene Säulen auf. Den Weibern

entstürzten erbärmliche, bleiche Kinder, als ob sie die
Erde strafen wollten mit soviel Elend.
Von der ganzen Erde waren sie zum knechtischen Dienst ge-
kommen. Alle die Träumer von goldenen Flüssen.
Alle Verzweifler am Hungerleben.
Die Aufrechten und die Wahrhaftigen waren da, die noch an
ein Mitleid des Schicksals glaubten. Und die dunklen
Tölpel und die Verbrecher, die tief ins Unglück ihre
Schmach verwühlten.
Die Arbeit aber war nur Ausrede. Jener hatte zwanzig ver-
bitterte Generationen in seinem Herzen zu rächen.
Dieser hatte die Syphilismutter in seinem Blut zu
erdrosseln.
Sie alle schrien im Kampf mit der Erde.

IV

Sie wußten aber nichts vom Panamakanal. Nichts von der
unendlichen Verbrüderung. Nichts von dem großen
Tor der Liebe.
Sie wußten nichts von der Befreiung der Ozeane und der
Menschheit. Nichts vom strahlenden Aufruhr des
Geistes.
Jeder einzelne sah einen Sumpf austrocknen. Einen Wald
hinbrennen. Einen See plötzlich aufkochen. Ein Ge-
birge zu Staub hinknien.
Aber wie sollte er an die Größe der Menschentat glauben!
Er merkte nicht, wie die Wiege eines neuen Meers
entstand.
Eines Tages aber öffneten sich die Schleusen wie Flügel eines
Engels. Da stöhnte die Erde nicht mehr.
Sie lag mit offener Brust wie sonst die Mütter. Sie lag ge-
fesselt in den Willen des Menschen.
Auf der Wellentreppe des Ozeans stiegen die weißen Schiffe
herab. Die tausend Bruderschiffe aus den tausend
Häfen.

Die mit singenden Segeln. Die mit rauchendem Schlot. Es
    zirpten die Wimpel wie gefangene Vögel.
Ein neuer Urwald von Masten rauschte. Von Seilen und
    Tauen schlang sich ein Netz Lianen.
Im heiligen Kusse aber standen der Stille Ozean und der
    Atlantische Aufruhr. O Hochzeit des blonden Ostens
    und des westlichen Abendsterns. Friede, Friede war
    zwischen den Geschwistern.
Da stand die Menschheit staunend am Mittelpunkt der Erde.
    Von den brodelnden Städten, von den verschütteten
    Wüsten, von den glühenden Gletschern stieg der Salut.
Das Weltgeschwader rollte sich auf. Es spielten die blauen
    Matrosenkapellen. Von allen Ländern wehten freu-
    dige Fahnen.
Vergessen war die dumpfe Arbeit. Die Schippe des Prole-
    tariers verscharrt. Die Ziegelbaracken abgerissen.
Über den schwarzen Arbeitertrupps schlugen die Wellen der
    Freiheit zusammen. Einen Tag lang waren auch sie
    Menschheit.
Aber am nächsten schon drohte neue Not. Die Handels-
    schiffe mit schwerem Korn und Öl ließen ihre Armut
    am Ufer stehn.
Am nächsten Tag war wieder Elend und Haß. Neue Chefs
    schrien zu neuer Arbeit an. Neue Sklaven verdamm-
    ten ihr tiefes Schicksal.
Am andern Tag rang die Menschheit mit der alten Erde
    wieder.

Demonstration

O da trugen sie heilig im roten Lampion,
Wippend auf einer Knabenstange, das atmende und leuch-
                        tende Herz des Volks,
Ein Meer rauschte dem steigenden Lichte nach.
Fackeln gossen auf die schwarzen Menschen ein salbend Öl,
Daß jeder aussah wie der erste Befreier.

Stolze Worte wurden durch die Stadt getragen,
Die schwebten in einer Blutwolke vor allen her,
Männliche Musik kollerte von kupfernen Gebirgen herab.
In den Squares ballten sich die Menschen wie Fäuste zusammen,
Feurig im Wasser der Nacht zischte der Menge Geschrei.
Aber die glühende Schlange bohrte sich im Tunnel des
                           Boulevards hinfort,
Alle Häuser waren mit hellen Fenstern beflaggt,
Stiegen dem trunkenen Strome nach,
Hinaus, hinaus, wo der Redner stand, ein Mann mit einem
                           Mund,
Der wie ein Säer mit ruhiger Geste
Goldne Worte der Freiheit in die harrenden Furchen
Dunkler Menschheit streute.

Mond

I

Wie unerbittlich aber schwelltest du
Kleiner Modistinnen einsames Herz
Und polternder Klaviere Himmelssehnsucht.

Wie unerbittlich streutest du dein Leuchten
In dunkelnde und fröstelnde Alkoven
Und hinters Gitter der Gefangenen.

Aus der entbrannten Hölle ihres Herzens
Schrieen die Menschen und verzweifelten
Und rissen sich die Brust im Irrsinn auf
Und starben dran, daß du so schön gewesen.

II

Und als du plötzlich, wie ein wunder Vogel,
Vom Himmel flattertest und deine Flammen
In roten Federn niederfallen ließest:

Wie gräßlich fuhr dein Strahl über die Erde!
Die Tiere hatten Phosphor in den Augen,
Die Häuser brannten ab wie Scheiterhaufen.

Die Menschen, die um dunkle Plätze irrten,
Apachen und Kokotten und Gendarmen,
Sie glaubten wie Indianer an dein Sterben
Und feierten den Tod in dieser Nacht.

III

Wie sollten wir dich anders denn verstehn,
O roter Mund, der sündig sich verzerrte:
Wir Schmachtenden, auf stummer Erde hockend!

Kalt in Mansarden warfst du dein Gemecker,
Und über die verstummten Krankensäle
Ließest du goldne Lerchen zwitschern.

Wir alle standen an die Welt gekreuzigt
Und mußten dich mit unsern Augen schaun,
Und mußten an den Schmerz und an das Sterben glauben
Und mußten doch noch immer weiter hoffen!

IV

Und eines Nachts troff Blut auf unser Antlitz:
Dein Blut, zu unsres Krieges Blut gemischt,
Rann um die Erde wie ein runder Ring.

Verwundete, tiefknieend bei Kartätschen,
Aufschäumten ihre Lippen von dem Roten,
Und Sterbende ersoffen an dem Trank.

Es war kein Heil im Himmel noch auf Erden:
Wir mußten unsre Häupter tief vergraben,
Wir mußten unsre Lieben tief verschütten,
Und klagten, daß wir eher nicht gestorben.

V

Doch da, als Tänzer und geschminkte Maske,
Befreitest du die Gräber. Säulen barsten,
Der Marmor klirrte, Kränze lösten sich.

Aus deinem Schwelen gläsern stieg ein Christ,
Und blau bemalte, blecherne Marien
Erstrahlten mitten in Geranientöpfen.

O Tänzer, der die Toten all erlöste,
Indessen wir in Schutt und Schmerz und Schlaf
Hinschnarchten und ein Glück verschmähten:
Die Toten lebten und wir waren tot.

Welle und Wolke

Bist du Welle schon, bist du noch Wolke?
Noch verhaltnes Lächeln, Jungfrau der Winde,
Heimverlangen zum Himmel?
Oder schon heimliches Wandern
Hin zur Niederung, hin zum Sturz,
Seele der Wasser?
Schicksal, das sich nicht entscheiden will,
Schwebende Frage zwischen den Himmeln,
Wolke halb und halb schon Welle,
Seele noch und doch schon Schwere?

Ach, ich reiße dich, Irdische,
Hin in meine menschlichen Wirbel,
Weibliches Meer!
Sklavin seist du der Welt, dienende Magd,
Unserer Unterwelt geboren,
Mußt du gebärend die Schluchten durchschrein!
Du gefallene Engelswolke,
Kreischendes Regenweib der kranken Städte,

Klagende Hure der mondleeren Gassen,
Ewige Verbrecherin!

Aber schuldlos lächelst du,
Lächelst aus meiner Kloake noch,
Leuchtest und glänzest und glühst
Tief aus der Nacht der Verfluchung,
Welle mit goldenen Fischen und Sternen im Grund!
Nebel umpurpurn deine Scham,
Irdisch-himmlische Geliebte,
Schwebst aus meiner Umarmung, wächsest, entblühst mir,
Junge Palme, schäumend Gezweig und silberner Vögel
Meergesang auf der Lippe!
Sag, was flatterst du,
Schwelgst und schwebst, Seele des Wassers,
Neues Rätsel zwischen den Himmeln, wirbelndes Weib,
Mutter und Tochter in Einem:
Bist du Wolke schon, bist du noch Welle?

Karawane der Sehnsucht

Unsrer Sehnsucht lange Karawane
Findet nie die Oase der Schatten und Nymphen!
Liebe versengt uns, Vögel des Schmerzes
Fressen immerzu unser Herz aus.
Ach wir wissen von kühlen Wassern und Winden:
Überall könnte Elysium sein!
Aber wir wandern, wir wandern immer in Sehnsucht!
Irgendwo springt ein Mensch aus dem Fenster,
Einen Stern zu haschen, und stirbt dafür,
Irgendeiner sucht im Panoptikum
Seinen wächsernen Traum und liebt ihn –
Aber ein Feuerland brennt uns allen im lechzenden
                                                    Herzen,
Ach, und flössen Nil und Niagara
Über uns hin, wir schrien nur durstiger auf!

Der neue Orpheus

Für Claire

Orpheus
Musikant des Herbstes
Trunken von Sternenmost
Hörst du die Drehung der Erde
Heute stärker knarren als sonst?
Die Achse der Welt ist rostig geworden
Abends und morgens steilen Lerchen zum Himmel
Suchen umsonst das Unendliche
Löwen langweilen sich
Bäche altern
Und die Vergißmeinnicht denken an Selbstmord

Müde ist die gute Natur
Dünn der Sauerstoff ewiger Wälder
Im Ozon der Gipfel erstickt man
Wolke regnet und sehnt sich nach Schlamm
Mensch muß immer zu Menschen zurück

Ewig bleibt uns Geschick
Eurydike:
Das Weib das unverstandene Leben
Jeder ist Orpheus

Orpheus: wer kennt ihn nicht:
1 m 78 groß
68 Kilo
Augen braun
Stirn schmal
Steifer Hut
Geburtsschein in der Rocktasche
Katholisch
Sentimental

Für die Demokratie
Und von Beruf ein Musikant

Vergessen hat er Griechenland
Eisvogels Morgengesang
Die dunkle Trauer der Zedern
Die Hochzeit der Blumen
Und soviel knabenhafter Bäche Freundschaft

Was sollen ihm heute Enzian und Gemse
Die Menschen sind elend
Gefangen in tiefer Unterwelt
In Städten von Mörtel
Von Blech und Papier
Sie muß er befreien
Die Armen an Mond an Wind und an Vögeln

Herr, bleibe stehn
Du da im gutgeschnittenen Cutaway
Halt: Herz vorweisen!
Mitteleuropäische Kultur
Mit Kaiserkrönungen
Baugesellschaften
Boxkämpfen

O Zeitgenosse, sehr geehrter Herr!
Orpheus ist zu dir gekommen
Von den griechischen Hügeln
In die Ackerstraße des Alltags
Ist der neue Dichter gestiegen

Du triffst ihn überall wo Lippen lechzen
Wo Herzen hungern
Musik wie einen warmen Umschlag
Auf allen Weltschmerz legt er dir

Orpheus singt den Menschen Frühling

Am Mittwoch zwischen halbeins und halbzwei
Als schüchterner Klavierlehrer
Befreit er ein Mädchen vom Geize der Mutter

Abends im Welt-Variété
Zwischen Yankeegirl und Schlangenmensch
Ist sein Couplet von der Menschenliebe die dritte
                                    Nummer

Um Mitternacht ein Clown
Im sonnengoldenen Zirkus
Weckt er mit großer Pauke die Schläfer

Sonntags vor Kriegervereinen
Im eichengeschmückten Tanzsaal
Der Dirigent der Freiheitslieder

Magerer Organist
In stillen Sakristeien
Übt er die Orgel süß für Jesukinder

In allen Abonnementkonzerten
Mit Gustav Mahler
Grausam über die Herzen fährt er

Im Vorstadtkino am Qualenklavier
Läßt er den Pilgerchor
Den Mord an der Jungfrau beklagen –

Grammophone
Pianolas
Dampforgeln
Verbreiten Orpheus' Musik

Auf dem Eiffelturm
Am 11. September
Gibt er ein drahtlos Konzert

Orpheus wird zum Genie:
Er reist von Land zu Land
Immer im Schlafwagen

Seine Unterschrift faksimiliert
Für Poesiealbums
Kostet zwanzig Mark

Und von Athen aus fährt er nach Berlin
Durch die deutsche Morgenröte
Da wartet am Schlesischen Bahnhof
Eurydike! Eurydike!
Da steht die Sehnsucht-Geliebte
Mit ihrem alten Regenschirm
Und zerknitterten Handschuhn
Tüll auf dem Winterhut
Und zuviel Schminke auf dem Mund
Wie damals
Musiklos
Seelenarm
Eurydike: die unerlöste Menschheit!

Und Orpheus sieht sich um
Er sieht sich um – und will sie schon umarmen
Zum letzten Mal aus ihrem Orkus holen:
Er streckt die Hand
Er hebt die Stimme
Umsonst! Die Menge hört ihn schon nicht mehr
Sie drängt zur Unterwelt zum Alltag und zum Leid zurück!
Orpheus allein im Wartesaal
Schießt sich das Herz entzwei!

Welt

KASIMIR EDSCHMID

Stehe von Lichtern gestreichelt

Nun glänzen orangen der Herbstsee und die Birken
                     entflammt wo entfernt.
Mit den silbernen Achsen der Scheiben nur ist unser Zimmer
                     besternt.
Nelken und Zimt deiner Kleider durchwellt in Gerüchen den
                     Raum.
Blind durch das Bleiche der Dämmrung glitzern die Spiegel
                     kaum.
Über dem Goldweiß der Wände schwemmt die Laterne
                     draus nur
Welle auf schimmernde Welle schweigend mit trübem Kontur.

Nun liegt meine Hand, die noch gestern die Haut eines
                     andern durchschnitt,
an der ich am Haar dich emporzog am Sandbruch beim
                     ersten Ritt;
auf der alle Punkte ich zählte, wie sie deine Säure verbrannt,
vor der du in Demut dich knietest, als ich die Pistole
                     gespannt – –
Nun liegt meine Hand wie ein Kreisel, der torkelt und nicht
                     mehr schrillt,
an deines Leibes erglühtem und auf sich wölbendem Schild.

Seh deine Augen brechen schräg aus der Kissen Granit:
Gläsern geschliffene Teiche, an denen ich wandernd litt.

Vage erschimmern die Hüften, wenn du im Wiegen sie hebst,
der Schenkel geduckte Exstase, in die du mich sanft sonst
                                        verwebst.
Ich fühle das Hämmern des Blutes, hinauf nicht heiß und
                                        nicht lau,
wo unter den seidenen Decken mit Geiern in Gelb und aus
                                        Blau
gleich gereckten Raubtieren lagert das elfenbeinerne Paar.
O Tupfen des rosanen Marmor . . . . . Ihr Kränze von
                                        flaumigem Haar.

Sieh, du willst höhnen nun: Starker, endlich nun bist du
                                        matt . . . . .
Lachend laß ich das Lager, schaue hinab auf die Stadt.
Seh, wie mit weißen Flammen die Nacht die Straßen
                                        durchstieß.
Schnee deckt sprühend und schaumig Schorne und Gärten
                                        und Fries.
O nun braust in die Helle der Frühe mein Wildsein voll
                                        neuem Erglühn,
stehe von Lichtern gestreichelt, gerötet, Hochstapler und
                                        kühn,
werfe den Arm hoch im Rausche – höre den Sperberschrei.
Purpur durchrast schon der Fenster flammendes Mondrund
                                        und Blei.

ALBERT EHRENSTEIN

Auf der hartherzigen Erde

Dem Rauch einer Lokomotive juble ich zu,
mich freut der weiße Tanz der Gestirne,
hell aufglänzend der Huf eines Pferdes,
mich freut den Baum hinanblitzend ein Eichhorn,

oder kalten Silbers ein See, Forellen im Bache,
Schwatzen der Spatzen auf dürrem Gezweig.
Aber nicht blüht mir Freund noch Feind auf der Erde,
ferne Wege gehe ich durch das Feld hin.

Ich zertrat das Gebot
„Ringe, o Mensch, dich zu freuen und Freude zu geben den
                                Andern!"
Düster umwandle ich mich,
vermeidend die Mädchen und Männer,
seit mein weiches, bluttränendes Herz
im Staube zerstießen, die ich verehrte.
Nie neigte sich meinem einsam jammernden Sinn
die Liebe der Frauen, denen ihr Atmen ich dankte.
Ich, der Fröstelnde, lebe dies weiter. Lange noch.
Ferne Wege schluchze ich durch die Wüste.

Wiener Freyung

Ihr nächtigen Häuser der Freyung,
Weltwiesen am stillen See,
versteinter Waldwinkel der Stadt,
tief verpuppt in Schlaf!

Lang lebe, verzauberter Kirchturm!
Ich gehe die Zeit,
und komme ich wieder zur Erde,
will ich bei dir sein als Haus!

Der Waldesalte

Aus schwarzem Gebirg wuchs er hervor,
sein Scheitel zerfetzte die Sonne,
die versandenden Meere ging er hindurch

in eisernem Trott,
von Speeren umhaart, der Rächer, der Waldesalte.
Ausbrach er Gebrüll:
„Nicht ehrtet ihr das grüne Haus,
darin sich Nachtigallen wiegten.
Es hat die Seele keinen Bosporus, noch Vogesen.
Zweitausend Jahre lagen brach.
Noch nicht kennt ihr Christus.
Ihr stochert frech mit einem Span
vom Kreuz den Zahn.
So haben Kraft und heben
die grauen Heerwürmer ihre blindgeborenen Schlünde.
Ihr tröstet euch mit der streichelnden Henkersmahlzeit,
: euere Weiber, die Säue Gottes,
pflegen Wunden, schicken die blassen
Krieger vom Mordfeld zum Mordfeld.
So bin ich euch der Weihnachtsbaum
des roten Zimmermanns von Beth Lechem!"
Seine Haare starrten,
: eisweiße Mastbäume,
und spießten, umblutete Spieße,
die nachtgeschlagenen Heere.
Kläglich blökten Kanonen.

Der Kriegsgott

Heiter rieselt ein Wasser,
abendlich blutet das Feld,
aber aufreckend das wildbewachsene Tierhaupt,
den Menschen feind,
zerschmettere ich, Ares,
zerkrachend schwaches Kinn und Nase,
Kirchtürme abdrehend vor Wut,
euere Erde.
Lasset ab, den Gott zu rufen, der nicht hört.

Nicht hintersinnet ihr dies:
ein kleiner Unterteufel herrscht auf der Erde,
es dient ihm Unvernunft und Tollwut.
Menschenhäute spannte ich an Stangen um die Städte.
Der ich der alten Burgen Wanketore
auf meine Dämonsschultern lud,
ich schütte aus die dürre Kriegszeit,
steck' Europa in den Kriegssack.
Rot umblüht euer Blut
meinen Schlächterarm,
wie freut mich der Anblick!
Der Feind flammt auf
in regenbitterer Nacht,
Geschosse zerhacken euere Frauen,
auf den Boden
verstreut sind die Hoden
euerer Söhne
wie die Körner von Gurken.
Unabwendbar eueren Kinderhänden
rührt euere Massen der Tod.
Blut gebt ihr für Kot,
Reichtum für Not,
schon speien die Wölfe
nach meinen Festen,
euer Aas muß sie übermästen.
Bleibt noch ein Rest
nach Ruhr und Pest?
Aufheult in mir die Lust,
euch gänzlich zu beenden!

Der Dichter und der Krieg

Ich sang die Gesänge der rot aufschlitzenden Rache,
und ich sang die Stille des waldumbuchteten Sees;
aber zu mir gesellte sich niemand,

steil, einsam
wie die Zikade sich singt,
sang ich mein Lied vor mich.

Schon vergeht mein Schritt ermattend
im Sand der Mühe.
Vor Müdigkeit entfallen mir die Augen,
müde bin ich der trostlosen Furten,
des Überschreitens der Gewässer, Mädchen und Straßen.
Am Abgrund gedenke ich nicht
des Schildes und Speeres.
Von Birken umweht,
vom Winde umschattet,
entschlaf' ich zum Klange der Harfe
Anderer,
denen sie freudig trieft.

Ich rege mich nicht,
denn alle Gedanken und Taten
trüben die Reinheit der Welt.

Die Nachtgefangenen

(Geschrieben am 29. Juni 1914)

Als ich ganz zernichtet war,
Vor Nacht und Hölle und Pest und Erde
Verging im dunkel tosenden Raume,
Erschienen die Dinge,
Trost zu schütten über den Gram.

Das Licht kam,
Silberne Möwen schwebend im Reinen,
Und die Hügel der Sonne: bewaldetes Erz,
Die Seen und Teiche des Grünen,

Wege in liebliches Land
Und verfallen im Abend Ruinen.

Die Hände über den Augen, wehrt' ich entwandelnd ab:

„Die schwarze Schnecke des Todes kroch
Mir über den Weg. Auch ich roch
Einst weißduftenden Klee und liebte die lichtbehauchten
                                          Wolken.
Ich freute mich der Rädergesänge
Der langachsigen Wagen,
Ich freute mich der eintönig sich wiegenden Pappeln
                                          wegentlang,
Ich freute mich der Sonne widerblitzenden,
Rastlos vergleitenden Schienen,
Ich freute mich der staubweißen Bäche
Meiner ländlichen Straßen.

Aber ich sah die Nachtgefangenen:
Dunkles sinnend die Späher des Bösen,
Aber ich sah hanakische Bauern,
Bunte Vogelscheuchen im Feld,
Den Schnellzug anstaunen,
Der ihre Grünäcker mit Ruß und Asche bestreut,
Aber ich sah auf Gibraltar die letzten Affen Europas frierend
                                          hinsterben,
Aber ich sah indische Tänzerinnen, gazellengangbegabte,
Vor dem Champagner und Abschaum
Eingläserner Jünglinge tanzen,
Aber ich sah Elefanten, dschungelrohrdurchbrechende,
Sich nach den Brosamen eines Kindes bücken,
Aber ich sah Dreadnoughts ertrinken,
Umschwärmt von den tötenden Torpedohaifischen,
Aber ich sah – und Tränen entstürzten dem Tag –
Aber ich sah arme Soldaten am Sonntag der Freiheit
Starr auf Gerüsten hocken,

Hochsegelnden Fliegern zum Zeichen,
Aber ich sah einen Turmfalken,
Gewohnt im Äther zu weiden,
Sich einwühlen in den Sand eines Breslauer Käfigs,
– Und ich muß dem Schweiß dieser nächtlichen Tage
                                        entrinnen!
Nicht bin ich von den traumumspülten Leichen,
Eingedickt in Schlaf.
Wenn vom verhängten Luftkreis Schwüle abwärts sintert,
Wenn Baumwipfel ineinanderstöhnen, sturmzerquält,
Wenn rollend kommt himmellang gefahren
Der Gottheit Drache,
Will ich nicht mehr der Wetter bitteres Naß,
Der Wolken Säure,
Ich will den Blitz in mich!"

Der schwere Engel des Todes wuchs vor mich:
„Endlich gedenkest du mein,
Du liebtest mich vorzeiten.
Werbend um schärfste Lust.
So werde, was du bist,
Auf der Erde, die dich frißt!"

Mit den Händen griff der Malmer in meinen Staub,
Entwirbelnd verschwand ich Geraubter
Im neu ergrünenden Laub.

Ende

Ich stand am Kriegsstrand,
blutige Wellen schäumten zu mir.
O wär ich in Samarkand
und nicht hier.

Immer noch kämpfen
auf dem Dunghaufen die Hähne.

Es glauben die Tauben,
daß unter ihren Sprüngen die Erde erdröhne.

Kann ihren zornigen Blutgeifer nichts dämpfen?
Rausche, o Wasser!
Ich höre das Meer.
Über Europa: England und Rußland,
aus Urzeiten kommend zu Zeiten
ergießt sich grollend das Meer.

In den Tagen der Zukunft
rein von Menschenameisen stürzest du einst
oder es schluckt dich, Erde, die Sonne.

ALFRED WOLFENSTEIN

Städter

Dicht wie Löcher eines Siebes stehn
Fenster beieinander, drängend fassen
Häuser sich so dicht an, daß die Straßen
Grau geschwollen wie Gewürgte sehn.

Ineinander dicht hineingehakt
Sitzen in den Trams die zwei Fassaden
Leute, ihre nahen Blicke baden
Ineinander, ohne Scheu befragt.

Unsre Wände sind so dünn wie Haut,
Daß ein jeder teilnimmt, wenn ich weine.
Unser Flüstern, Denken .. wird Gegröhle ..

– Und wie still in dick verschlossner Höhle
Ganz unangerührt und ungeschaut
Steht ein jeder fern und fühlt: alleine.

Im Bestienhaus

Ich gleite traurig rings umgittert von den Tieren
Durchs brüllende Haus am Stoß der Stäbe hin und her,
Und blicke weit in ihren Blick wie weit hinaus auf Meer
In ihre Freiheit .. die die schönen nie verlieren.

Der harte Takt der engen Stadt und Menschheit zählt
An meinen Zeh'n, doch lose schreiten Einsamkeiten
Im Tigerknie, und seine baumgestreiften Seiten
Sind nur der ganz bewachsnen Erde eng vermählt.

Ach ihre reinen heißen Seelen fühlt mein Wille
Und ich zerschmelze sehnsuchtsvoller als ein Weib.
Des Jaguars Blitze gelb aus seinem Sturmnachtleib
Empfängt mein Schneegesicht und winzige Pupille.

Der Adler sitzt wie Statuen still und scheinbar schwer
Und aufwärts aufwärts in Bewegung ungeheuer!
Sein Auftrieb greift in mich und spannt mich in sein Steuer
.. Ich bleibe still, ich bin von Stein, es fliegt nur er.

Es steigen hoch der Elefanten graue Eise,
Gebirge, nur von Riesengeistern noch bewohnt:
Von Wucht und Glut des freien Alls bin ich umthront,
Und stehe eingesperrt in ihrem wilden Kreise.

Fahrt

Der D-Zug schreit und steigert sich, der Mond steht hell,
O Einklang unsrer Füße langsam, Füße schnell!
Die Herzen schlagen
Auf blanker Schiene mit den Wagen.

Wir sind ein Schwarm dem spröden Schritt der Städte fern!
Ihr Häuser fort! mit uns fährt eisern nur der Stern,

Die Dörfer blinken,
Von unserm Sturm verlöscht versinken.

Versenken wir das Aschengrau der Abendwelt!
Wie gutes Blut zerschmilzt der Zug was uns umstellt,
Gebirge gleiten
In Seen .. ins Meer der Schnelligkeiten.

Doch wir gezackt wie Wolken aus dem glatten Meer
Mit e i n e m Atem dampfen wir darüber her
Und brausend sehen
Wir brausendere Sterne .. stehen.

Seht auf, seht auf .. da steigt und schreit und hebt der Zug
Uns hoch in Glanz .. das Gleis verstummt .. die Nacht wird
Flug ..
Wir Alle flammen
Im wildren Schmelz des Sterns zusammen!

Und nagelt uns die Bremse auf Stationen fest,
Wir fahren noch .. ins muffige Hotel gepreßt ..
Aus Fenstern neigen
Wir uns und sausen Sternenreigen!

Die Friedensstadt

Die Nacht verdunkelt tiefer sich in Bäume,
Der Boden schwankt wie Schädel voller Träume,
Wir wandern langsam, wissen kaum, warum
Wir aufgebrochen sind, und harren stumm.

Wir haben paradiesisch lau gelebt,
In Wäldern, Ebenen farblos eingeklebt,
Aus weiter Landschaft blickte jeder stille,
In ruhigen Körpern hauste klein der Wille.

Durch kleine Teiche schwammen unsre Pläne
Gleichgültig leicht und einsam wie die Schwäne,
Auf unsrer ahnungslosen Jugend lag
Der Alten Zeit, der Ordnung glatter Tag.

Kein Herz, kein Blick, kein Kampf ward in ihr groß,
Aus Wurzeln stieg die Landschaft regungslos
In einen Schein des Friedens, halb verdunkelt
– Und plötzlich, wie ein Schein von Größe, funkelt

Von Ungeheuern unser Weg, und Brände
Und Waffen drücken sich in unsre Hände,
Zweischneidig, in die Seele drückend Wunden,
Und wir, umtrommelt rings, gepreßt, gebunden,

Stehn in der Erde ältestem Geschick,
Ein Heer von Spähern dringt in unsern Blick,
Wald wächst voll unnatürlicher Gewalten,
Voll Mauern, die uns grau in Waffen halten:

Mit kahlem Steingesicht, unnahbar böse,
In seinen Händen gellendes Getöse,
Den Stahl im Munde und im Herzen stumm
Geht ein Gespenst durch Menschenreihen um.

Es schlägt die Erde dröhnendes Zerstören
Und nirgends ist ein Herzschlag mehr zu hören,
Wir stehen eingereiht ins Heer des Nichts
Und werden ausgesandt zum Mord des Lichts.

Doch plötzlich in dem allfeindseligen Land –
Mit wem zusammentastet meine Hand?
O – etwas mutigeres Weiterstrecken
Und dich bei mir und mich bei dir Entdecken!

Mensch bei dem Menschen – Und die Welt ist wieder!
Gewalt erblaßt, Gewalt sinkt vor dir nieder,

O Freund –! Kaserne flieht um unser Haupt,
Um Schönheit, die sich plötzlich gleicht und glaubt.

Die Erde fällt, doch Geister sind noch da,
Um sie zu halten! Komm und bleibe nah,
In ihre Wüste werde eingetürmt
Die Friedensburg, die keiner wieder stürmt.

Aus Donnerspannung unsrer Hände bricht
Die Stadt! voll Stirnen, Himmeln, Wucht und Licht,
Der Kuß sich ewiglich umschlingender Straßen,
Die Glücklichkeit an Hellem ohne Maßen.

Die Sonne nimmt durch unsre Stadt den Flug!
Und nie ist ein Verräter dunkel genug,
Sich hinzuwühlen unter diesen Frieden,
Kein Winkel wird hier Waffen heimlich schmieden.

Dring weiter, Strahl der Stadt, in alle Reiche,
Wir speisen dich, wir tief im Geiste Gleiche,
Aus endloser Berührung brennt ein Meer
Hervor, zurück und heißer, höher her.

Du Friede, Kampf der Stadt! du roter Stern,
Mach über Krieg, Nacht, Kälte dich zum Herrn,
Von uns verbunden tiefer uns verbünde,
Geliebt und liebend leuchte und entzünde!

Hingebung des Dichters

Wie Wolke durchflammt, Wolke durchdröhnt, zwischen
                                    Haupt und Boden
Zuckt eines Menschen sprechender Mund,
Blitzende Zähne roden
Dickichte nieder: da schnellen die Blumen hoch, luftig und
                                       bunt.

Höre die Stimme, taubeste Trauer,
Schwarz wie Gestrüpp unterm Ozeangrund!
Klangloser Vogel, zu singen beginne im rundlichen Bauer,
Es singe dich frei des Menschen Mund.

Doch wie blautrockner Himmel überm Dach seiner Donner
Über den eignen Lippen noch unerlöst wartet der Dichter –
Sturm, von Sonne versammelt, regnet nicht auf in die Sonne,
Über den Wolken glühn unsichtbar weiter und lechzen die
                                        Lichter.

Wahrheit, so blicke von oben in seine Seele,
Nie wird sie leer, verkünde es, menschlicher möchte sie sein,
Ruft er die Liebe mit Worten aus, ruft seine hellere Kehle
Liebe noch wirklicher zeugend in sich herein.

Atmet er Verse, nur noch lebendiger schwillt seine Brust!
Daß er vor Scham und Freude inmitten der Sprache
                                        aufstehen
Möchte, um fort in die Wüste –
Nein, den Menschen noch näher zu gehen!

Bis es am Ende wieder
Aufströmt, von unten nun: Du!
Antlitze nun, von Dichtung geöffnete Lider,
Blitzen wie Blumen beregnet seiner Entschleierung zu!

Erdenwind reicht ihm die Hände
Durch das aufstrahlende Tor,
Sprache verrollt, das Herz tritt aus Wolken, nun erst am
                                        Ende
Geht sein schwerer Vorhang vor ihm selbst empor.

ARMIN T. WEGNER

Der Kreisel

Zur Stunde, da an den eisernen Pfeilern
Das Licht sich entzündet,
Ein gelber Strom in die Gassen mündet,
Wenn die Pulse der Stadt zur Ekstase sich steigern
Und die Luft der Nacht aus fiebernder Brust
Aufsteigt, von Wunsch und Begierde satt,
Dann springt, gepackt von rasender Lust,
Mein Herz hinab in den Aufruhr der Stadt.

Und durch das Tosen der Straßen getrieben,
Jagt es gleich einem rollenden Rad
Über Brücken, durch Tore, gepeitscht unter Hieben,
Zwischen der Menge hindurch, der Pfad
Verschlingt es ... sie stoßen, sie schieben,
Sie treten mit ihren Füßen darnach.
Sie spielen damit wie mit einem Ball,
Und die Treppen hinunter, von Fall zu Fall
Hör ich es klappern. Hinab in das Ungemach
Der Schmerzens- und Elendsgassen!
Zerlumptes Pack,
Wie sie's mit schmutzigen Händen befassen,
Mit Jammern und Grollen
Über das Herz hin tanzen und tollen,
Daß es quiekt und schreit wie ein Dudelsack.

Und durch die Enge der Tore geschoben,
Eine glühende Kugel,
Kommt es über die Dächer geflogen.
Der Strudel speits zu den Türmen hinauf,
Hoch oben glänzt es, ein goldener Knauf.
In sprühendem Bogen
Empfängt es die Masse, ein gurgelnder Topf,

Und über den Köpfen der Menschen erhoben
Grinst es, ein gelber Totenkopf,
Hinein in die rote Pracht
Der Theater. Ein Kreisel, dreht
Es sich über die Bühne, umjubelt, umlacht,
Von tausend Blicken lüstern umspäht.
Und die Frauen, mit Schmuck und Schminke behangen,
Lehnen es streichelnd an ihre Wangen,
Und sie reichen es lächelnd weiter,
Und die Fenster hinab tanzt es an seiner Leiter.
Die Dirnen schleppens in ihre Betten,
Tief unter den Kissen
Halten sie's zwischen den Schenkeln fest,
Und ihre Lippen, blutiggepreßt,
Bedeckens mit Küssen.

Aber vom Bette der Liebe los
Reißt es zurück aus kurzem Vergessen
Hinab in die Masse der gärende Schoß,
Wirft es hinauf in den Himmel der Gasse:
Ein Funke, der sprühend zur Wolke zischt,
Der hoch aus dem feurigen Halse der Essen
Auflodert und im Dunkel verlischt.

Das Warenhaus

Mit seinen Kuppeln, Toren und eisernen Bogen,
Die Pfeiler zu granitenen Fichten gereiht,
Mit seinen aufgerissenen Augen, die breit
Die Straße mit Licht überschütten, dem gewundenen Lauf
Seiner Treppen, funkelnd von Gold und Glanz überflogen:
Hebt sich das Haus bis weit in den Himmel hinauf.

Die niederen Dächer an seine Seiten geduckt,
Schwindsüchtige Wände, auf die es die plumpe Schulter zuckt,

Zwischen berstende Mauern, über die kalt
Sein Schatten und seine Flamme fällt,
Hat es den Fuß mit Donner-Gewalt
In der Straßen keuchende Lunge gestellt.

Doch unter dem Glanze der steinernen Bäume,
Die sich rauschend bis unter die Dächer verzweigen,
Verstrickt in das Dickicht der endlosen Räume,
Wachsend die Ströme der Menschen steigen.
Durch kreisende Schleusen gezogen
Schluckt seinen Atem das gewaltige Haus,
Menschen auf Menschen-Wogen,
Und speit sie zurück, auf die Straße hinaus.

In den gläsernen Schächten die fliegenden Stühle
Heben sich jäh empor aus dem schwarzen Gewühle,
Steigen und gleiten an zitternder Schnur,
Schwankend im Lichte
Wie die goldnen Gewichte
An einer rastlos laufenden Uhr.

Und über der Diele, die breit und gebogen
Sich dunkel ebnet in Schluchten, von Pfeilern zerrissen,
Zwischen Wänden, die ihre eigene Ferne nicht wissen,
Von kalten Sonnen lieblos belogen –
Erhebt sich strahlend der Wald der Dinge.

Die Dinge, die lichtheller Morgen umtagt,
Die nackt sich brüsten, schillernd und seiden,
Die die Wünsche der Menschen betasten, entkleiden,
Von dem lüsternen Schwarm ihrer Blicke benagt.
Die Dinge, die wie Lebendige glühen,
Wandelnd und in einer Sänfte von Glas,
Die dunkel und ohne Maß
Sich in endloser Straße ziehen.
Durch die die Menschen vorübertreiben, ein Wind.

Gewänder, die wie Erhängte sind,
Kopflose Kleider, die Gebete stammeln,
Die Tische von Ungebornen belebt,
Und Stühle, die sich zu Völkern versammeln,
Und die Betten weiß und von Seide gewebt,
In denen tausend begehrliche Wünsche schlafen,
Doch kein Lebendiger lebt.

Von den ewigen Fernen der Erde trafen
Die Dinge in dieses Hauses dunkel zerwühltem Hafen
Wie Schiffe auf weiter Reise zusammen.
Die über die Flüsse Ägyptens schwammen,
Persische Teppiche, japanische Seide,
Irische Pelze, peruaner Geschmeide,
Die über die weglosen Meere kamen,
Der fremden Lande dunkles Gerät:
Sie alle sind, ein unfruchtbarer Samen,
Über die schwellende Diele des Hauses gesät.
Die Dinge zu Städten gebaut und Gassen,
Um deren Besitz sie morden und stehlen,
Um deren Glück sie einander hassen,
Millionen in Arbeit, in Wahnsinn sich quälen.
Die Dinge, in Glanz und in Leuchten geschlagen,
Die jung sind und zart zu fühlen. Bald,
In die tausend Stuben der Stadt getragen,
Werden sie alt:
Wenn sie im Dunkel und Elend des Alltags verblühen –
Die Dinge,
Vor denen die Seelen der Menschen knieen!

Und stumm in dem verwunschenen Wald
Bewegt sich lautlos die Schar der Priesterinnen,
Die lächelnd den Götzen der Dinge bedienen,
Der sich im Finstern zeugend vermehrt.
Mit hungernden Brüsten und Liebe beschwert
Bewahren sie opfernd die Schätze im Haus,

Wenn durch der Hände gebleichtes Linnen
Ohn Ende die Wasser der Dinge rinnen,
Und bieten zum Kauf ihre Seele aus ...

In den gläsernen Schächten die fliegenden Stühle
Heben sich jäh empor aus dem schwarzen Gewühle,
Steigen und gleiten an zitternder Schnur,
Schwankend im Lichte
Wie die goldnen Gewichte
An einer rastlos laufenden Uhr.

Bis das Licht erlischt und die Schatten schwer
Und dumpf in die hohlen Säle fallen;
Da heben im Dunkel die Dinge, entgeistert und leer,
Ihre toten Äste, in die mit gefalteter Schwinge
Die Schatten sich krallen.
Und mit den Augen, die stets voll kaltem Verlangen
Nach den eilenden Menschen der Straße fangen,
Die sich in jähem Entsetzen verdunkeln,
Und noch im Schlaf ohne Ruh
Starr in das nächtliche Leben der Städte funkeln,
Schließt sich das Haus wie das Herz einer Dirne zu.

Heroische Landschaft

Nun sticht die Zwergin Nacht mit schwarzem Pfahl
Das Sonnenauge aus der Himmelsstirne,
Daß es verblutend aus dem wehen Hirne
Hintropft. Erblindet schreit in ihrer Qual

Die Erde auf. Um offne Gräber knien
Die Palmen, und sie werfen voll Verzagen,
Wie Klageweiber ihre Brüste schlagen,
Die Zweige schluchzend in der Winde Glühn.

Im Schilf verröcheln mit geborstnen Speeren
Des Tempels Säulen, wo im Aas der Sümpfe
Ein Lachen schielt. Die toten Städte stehn

Im Sande auf. Sie zeigen ihre Schwären
Und heben stumm die blutigen Mauerstümpfe,
Wie Bettler, die um eine Münze flehn.

BERTOLT BRECHT

Erster Psalm

1. Wie erschreckend in der Nacht ist das konvexe Gesicht des schwarzen Landes!

2. Über der Welt sind die Wolken, sie gehören zur Welt. Über den Wolken ist nichts.

3. Der einsame Baum im Steinfeld muß das Gefühl haben, daß alles umsonst ist. Er hat noch nie einen Baum gesehen. Es gibt keine Bäume.

4. Immer denke ich: wir werden nicht beobachtet. Der Aussatz des einzigen Sternes in der Nacht, vor er untergeht!

5. Der warme Wind bemüht sich noch um Zusammenhänge, der Katholik.

6. Ich komme sehr vereinzelt vor. Ich habe keine Geduld. Unser armer Bruder Vergeltsgott sagte von der Welt: sie macht nichts.

7. Wir fahren mit großer Geschwindigkeit auf ein Gestirn in der Milchstraße zu. Es ist eine große Ruhe in dem Gesicht der Erde. Mein Herz geht zu schnell. Sonst ist alles in Ordnung.

Zweiter Psalm

1. Unter einer fleischfarbenen Sonne, die vier Atemzüge nach Mitternacht den östlichen Himmel hell macht, unter einem Haufen Wind, der sie in Stößen wie mit Leilich bedeckt, entfalten die Wiesen von Füssen bis Passau ihre Propaganda für Lebenslust.

2. Von Zeit zu Zeit teilen die Eisenbahnzüge, voll von Milch und Passagieren die Weizenfeldermeere; aber die Luft steht still um die Donnernden, das Licht zwischen den großen Versteinerungen, der Mittag über den unbewegten Feldern.

3. Die Gestalten in den Äckern, braunbrüstige Unholde, lasterhafte Visagen, arbeiten in langsamen Bewegungen für die Bleichgesichter in den Versteinerungen, wie es auf dem Papier vorgesehen ist.

4. Denn Gott hat die Erde geschaffen, daß sie Brot bringe und uns die Braunbrüstigen gegeben, daß es in die Mägen komme, vermischt mit der Milch der Kühe, die er geschaffen hat. Aber für was ist der Wind da, herrlich in den Baumwipfeln?

5. Der Wind macht die Wolken, daß da Regen ist auf die Äcker, daß da Brot entstehe. Laßt uns jetzt Kinder machen aus Lüsten für das Brot, daß es gefressen werde.

6. Das ist der Sommer. Scharlachene Winde erregen die Ebenen, die Gerüche werden Ende Juni maßlos. Ungeheure Gesichte zähnefletschender nackter Männer wandern in großen Höhen südwärts.

7. In den Hütten ist das Licht der Nächte wie Lachs. Man feiert die Auferstehung des Fleisches.

Der Choral vom großen Baal

1

Als im weißen Mutterschoße aufwuchs Baal
War der Himmel schon so groß und still und fahl
Jung und nackt und ungeheuer wundersam
Wie ihn Baal dann liebte, als Baal kam.

2

Und der Himmel blieb in Lust und Kummer da
Auch wenn Baal schlief, selig war und ihn nicht sah:
Nachts er violett und trunken Baal
Baal früh fromm, er aprikosenfahl.

3

Und durch Schnapsbudike, Dom, Spital
Trottet Baal mit Gleichmut und gewöhnt sich's ab.
Mag Baal müd sein, Kinder, nie sinkt Baal:
Baal nimmt seinen Himmel mit hinab.

4

In der Sünder schamvollem Gewimmel
Lag Baal nackt und wälzte sich voll Ruh:
Nur der Himmel, aber i m m e r Himmel
Deckte mächtig seine Blöße zu.

5

Und das große Weib Welt, das sich lachend gibt
Dem, der sich zermalmen läßt von ihren Knien
Gab ihm einige Ekstase, die er liebt
Aber Baal starb nicht: er sah nur hin.

6

Und wenn Baal nur Leichen um sich sah
War die Wollust immer doppelt groß.
Man hat Platz, sagt Baal, es sind nicht viele da.
Man hat Platz, sagt Baal, in dieses Weibes Schoß.

7

Ob es Gott gibt oder keinen Gott
Kann, solang es Baal gibt, Baal gleich sein.
Aber das ist Baal zu ernst zum Spott:
Ob es Wein gibt oder keinen Wein.

8

Gibt ein Weib, sagt Baal, euch alles her
Laßt es fahren, denn sie hat nicht mehr!
Fürchtet Männer nicht beim Weib, die sind egal:
Aber Kinder fürchtet sogar Baal.

9

Alle Laster sind zu etwas gut
Nur der Mann nicht, sagt Baal, der sie tut.
Laster sind was, weiß man was man will.
Sucht euch zwei aus: eines ist zu viel!

10

Nicht so faul, sonst gibt es nicht Genuß!
Was man will, sagt Baal, ist, was man muß.
Wenn ihr Kot macht, ist's, sagt Baal, gebt acht
Besser noch, als wenn ihr gar nichts macht!

11

Seid nur nicht so faul und so verweicht
Denn Genießen ist bei Gott nicht leicht!

Starke Glieder braucht man und Erfahrung auch:
Und mitunter stört ein dicker Bauch.

12

Man muß stark sein, denn Genuß macht schwach.
Geht es schief, sich freuen noch am Krach!
Der bleibt ewig jung, wie er's auch treibt
Der sich jeden Abend selbst entleibt.

13

Und schlägt Baal einmal zusammen was
Um zu sehen, wie es innen sei –
Ist es schade, aber 's ist ein Spaß
Und 's ist Baals Stern, Baal war selbst so frei.

14

Und wär Schmutz dran, er gehört nun mal
Ganz und gar, mit allem drauf, dem Baal
Ja, sein Stern gefällt ihm, Baal ist drein verliebt –
Schon weil es 'nen andern Stern nicht gibt.

15

Zu den feisten Geiern blinzelt Baal hinauf
Die im Sternenhimmel warten auf den Leichnam Baal.
Manchmal stellt sich Baal tot. Stürzt ein Geier drauf
Speist Baal einen Geier, stumm, zum Abendmahl.

16

Unter düstern Sternen in dem Jammertal
Grast Baal weite Felder schmatzend ab.
Sind sie leer, dann trottet singend Baal
In den ewigen Wald zum Schlaf hinab.

17

Und wenn Baal der dunkle Schoß hinunterzieht:
Was ist Welt für Baal noch? Baal ist satt.
Soviel Himmel hat Baal unterm Lid
Daß er tot noch grad gnug Himmel hat.

18

Als im dunklen Erdenschoße faulte Baal
War der Himmel noch so groß und still und fahl
Jung und nackt und ungeheuer wunderbar
Wie ihn Baal einst liebte, als Baal war.

Vom Schwimmen in Seen und Flüssen

1

Im bleichen Sommer, wenn die Winde oben
Nur in dem Laub der großen Bäume sausen
Muß man in Flüssen liegen oder Teichen
Wie die Gewächse, worin Hechte hausen.
Der Leib wird leicht im Wasser. Wenn der Arm
Leicht aus dem Wasser in den Himmel fällt
Wiegt ihn der kleine Wind vergessen
Weil er ihn wohl für braunes Astwerk hält.

2

Der Himmel bietet mittags große Stille.
Man macht die Augen zu, wenn Schwalben kommen.
Der Schlamm ist warm. Wenn kühle Blasen quellen
Weiß man: ein Fisch ist jetzt durch uns geschwommen.
Mein Leib, die Schenkel und der stille Arm
Wir liegen still im Wasser, ganz geeint
Nur wenn die kühlen Fische durch uns schwimmen
Fühl ich, daß Sonne überm Tümpel scheint.

3

Wenn man am Abend von dem langen Liegen
Sehr faul wird, so, daß alle Glieder beißen
Muß man das alles, ohne Rücksicht, klatschend
In blaue Flüsse schmeißen, die sehr reißen.
Am besten ist's, man hält's bis Abend aus.
Weil dann der bleiche Haifischhimmel kommt
Bös und gefräßig über Fluß und Sträuchern
Und alle Dinge sind, wie's ihnen frommt.

4

Natürlich muß man auf dem Rücken liegen
So wie gewöhnlich. Und sich treiben lassen.
Man muß nicht schwimmen, nein, nur so tun, als
Gehöre man einfach zu Schottermassen.
Man soll den Himmel anschaun und so tun
Als ob einen ein Weib trägt, und es stimmt.
Ganz ohne großen Umtrieb, wie der liebe Gott tut
Wenn er am Abend noch in seinen Flüssen schwimmt.

OSKAR LOERKE

Strom

Du rinnst wie melodische Zeit, entrückst mich den Zeiten,
Fern schlafen mir Fuß und Hand, sie schlafen an meinem
                                 Phantom.
Doch die Seele wächst hinab, beginnt schon zu gleiten,
Zu fahren, zu tragen, – und nun ist sie der Strom,
Beginnt schon im Grundsand, im grauen,
Zu tasten mit schwebend gedrängtem Gewicht,
Beginnt schon die Ufer, die auf sie schauen,
Spiegelnd zu haben und weiß es nicht.

In mir werden Eschen mit langen Haaren,
Voll mönchischer Windlitanei,
Und Felder mit Rindern, die sich paaren,
Und balzender Vögel Geschrei.
Und über Gehöft, Wiese, Baum
Ist viel hoher Raum;
Fische und Wasserratten und Lurche
Ziehn, seine Träume, durch ihn hin –.
So rausch ich in wärmender Erdenfurche,
Ich spüre schon fast, daß ich b i n :

Wie messe ich, ohne zu messen, den Flug der Tauben,
So hoch und tief er blitzt, so tief und hoch mir ein!
Alles ist an ein Jenseits nur Glauben,
Und Du ist Ich, gewiß und rein.

Zuletzt steigen Nebel- und Wolkenzinnen
In mir auf wie die göttliche Kaiserpfalz.
Ich ahne, die Ewigkeit will beginnen
Mit einem Duft von Salz.

Dionysische Überwachtheit

Die Seele braust mir, mit Geistern des Weins und der Liebe
beladen,
Und Halbgestalten entsteigen dem Finger, dem Ohr und
dem Haar.
Schon bricht in die Welt der Morgen mit wehend blauenden
Schwaden,
So gottüberwacht wie ich, wie ich so schwerelos klar.

Verwandelt die Wege und ohne Schicksal ich, der sie
beschreitet!
Doch in der Ferne graut Schicksal wie Kontinente so groß,

Gleich purpurnem Nebel steigend! Und alles für mich nur
                                        bereitet:
Ein Kleines, so bricht sein Überschwang wie Bitternis los.

Wo reiche ich hin? Wer hat mich mit Süße und Graun so
                                        begnadet?
O, ist nicht, als würde die Erde vom gleichen Rhythmus
                                        gepackt,
Die steinige, blühende Riesin, in blauen Dämpfen gebadet,
Und höbe sich nach! immer nach! der Füße magnetischem
                                        Takt?

Und niederwärts weckt der Schall meines Gangs mit
                                        Geschluchz ihre Särge.
Die magern Bäume im Wind singen wie Cherubim.
Und es steigen auf fernsten Inseln feuerspeiende Berge,
Ich sehe sie strömen den Rauchbaum, und Götter wohnen in
                                        ihm.

Wo reiche ich hin? Wohin? Die fliegenden Sterne streichen
Auf meiner ergossenen Seele noch hin und tasten sie an,
Wie Flügelwesen die Haut mir erschrecken, und brennen
                                        Zeichen
Mir ein, die sterblich mich machen und die ich nicht
                                        auslöschen kann.

O, wüßt ich nur, Riesin Erde, an dich die abwendende
                                        Frage,
Die du unter mir zitterst wie eine Bärin am Seil.
Schon liegt deine Tatze in mir mit unsichtbar würgendem
                                        Schlage,
Schon wurde dir wieder der Mensch, die kleine Beute, zuteil.

Fahrt zur Höhe und Tiefe

In Nebeln vergraut die Stadt wie Fieber. Mein Geist schwebt
                              in roten
Sehr fernen Gluten im Dunsthof um einen verborgenen
                              Mond.
Die Flammen in Gläsern tief unten beben gleich frierenden
                              Toten,
Und alles ist von Gewalt und von Geheimnis bewohnt.
Es strömt aus Tiefen und Höhen.

Meinen Leib schleppt ein Hochbahnzug, fahlgelb von
                           elektrischen Birnen,
Er klimmt über Mauerzacken im steigenden Viadukt,
Über manchen Ballen Licht, der wie ein Denken aus
                           Riesenhirnen
Ausspeit ein Kreuz und Quer von Maschinen, zurückschlingt
                           und zuckt.
Und Finsternis wieder, Strömen.

Mich rufen die Düfte von Kohle, von siedendem Öle und
                           Firnis,
Mich rufen die schnurrenden Räder, mich zerrt ein
                         zertrümmerter Lärm,
Aus Schornsteinen langen Gespenster und zischen in
                         fliegender Wirrnis
Und platzen als Embryos, Köpfe und wesenloses Gedärm:
Tiefher langt's nach mir.

Doch schafft meine Seele sich oben dich großen Doppelgänger,
Der im halben Lichte des nebligen Hofs um das Chaos haust.
Und sie läßt ihn nicht, sie stürzt ihm ins Herz, ihr Atem
                           wird länger:
Von i h r e n vergrößerten Ahnungen und Gedanken erbraust
Für einen Augenblick die Welt!

Verlassener Leib, du hörst das Brausen der Höhen erklingen,
Dich wirft und rüttelt die Fahrt. Musik wird dein bitterstes
                         Blut.
O Einsamkeitsmusik, dich allein kann niemand singen.
Viel Lichter zeigen wie Totenfinger die Nacht, – das ist gut,
Die immer einsame Nacht.

Wort und Spiel

AUGUST STRAMM

Freudenhaus

Lichte dirnen aus den Fenstern
Die Seuche
Spreitet an der Tür
Und bietet Weiberstöhnen aus!
Frauenseelen schämen grelle Lache!
Mutterschöße gähnen Kindestod!
Ungeborenes
Geistet
Dünstelnd
Durch die Räume!
Scheu
Im Winkel
Schamzerpört
Verkriecht sich
Das Geschlecht!

Untreu

Dein Lächeln weint in meiner Brust
Die glutverbissnen Lippen eisen
Im Atem wittert Laubwelk!
Dein Blick versargt
Und

Hastet polternd Worte drauf.
Vergessen
Bröckeln nach die Hände!
Frei
Buhlt dein Kleidsaum
Schlenkrig
Drüber rüber!

Abendgang

Durch schmiege Nacht
Schweigt unser Schritt dahin
Die Hände bangen blaß um krampfes Grauen
Der Schein sticht scharf in Schatten unser Haupt
In Schatten
Uns!
Hoch flimmt der Stern
Die Pappel hängt herauf
Und
Hebt die Erde nach
Die schlafe Erde armt den nackten Himmel
Du schaust und schauerst
Deine Lippen dünsten
Der Himmel küßt
Und
Uns gebärt der Kuß!

Schlachtfeld

Schollenmürbe schläfert ein das Eisen
Blute filzen Sickerflecke
Roste krumen
Fleische schleimen
Saugen brünstet um Zerfallen.

Mordesmorde
Blinzen
Kinderblicke.

Patrouille

Die Steine feinden
Fenster grinst Verrat
Äste würgen
Berge Sträucher blättern raschlig
Gellen
Tod.

Vorfrühling

Pralle Wolken jagen sich in Pfützen
Aus frischen Leibesbrüchen schreien Halme Ströme
Die Schatten stehn erschöpft.
Auf kreischt die Luft
Im Kreisen, weht und heult und wälzt sich
Und Risse schlitzen jählings sich
Und narben
Am grauen Leib.
Das Schweigen tappet schwer herab
Und lastet!
Da rollt das Licht sich auf
Jäh gelb und springt
Und Flecken spritzen –
Verbleicht
Und
Pralle Wolken tummeln sich in Pfützen.

WILHELM RUNGE

Auf springt der Tod und zügelt starr die Augen
Himmel reißt Sehen blutend aus dem Tag
Gebrochen sinkt der Sonne strahle Blume
blau plundert niedrig
Schreien spritzt in Trümmer
Rauch zucken Hände
Erde bröckelt Blut
wild hebt die Liebe weißtduwo
Gedenken stolpert bruderüberfreund
hin durch den Graben splittert Tod Zerpeitschen
und Sterben raucht das kurze Pfeifchen lässig
blau wirbeln Träume kinderblume Tränen
einsam versargt
das Leid

FRANZ RICHARD BEHRENS

Campendonk

Blätter spitzen
Tanzen
Maien
Adern tönen
Rippen klingen
Waldwandern
Sonne hat Gold verloren
Weinblut perlt
Schraubt
Schwebt
Pfeilt
Tanne ist Granate

Pfeil schießt Stern
Sonne trinkt Blütenkelch
Schalen zirpen rote Luft
Meermuschel bogen
Blaue Blätter kahnen
Blaue Blüten sprudeln
Sonnenbretter violen grüne Granaten
Tigerteppichziehn
Koboldblau kometen Zügeln
Straßen springen gezäunt
Tunnel springen gezähmt
Durchblicken dursten springend
Schneeweine Stirnenwelle
Geyser Schlangenaten ziehen Fahnen
Harnisch röhren Blutkragen Kraterglut
Augen dolchen Zungen
Pferde widdern
Weil alles Zittern wellt.

KURT SCHWITTERS

An Anna Blume
Merzgedicht 1

O du, Geliebte meiner siebenundzwanzig Sinne, ich liebe
    dir! – Du deiner dich dir, ich dir, du mir. – Wir?
Das gehört (beiläufig) nicht hierher.
Wer bist du, ungezähltes Frauenzimmer? Du bist – – bist du?
    – Die Leute sagen, du wärest, – laß sie sagen, sie
    wissen nicht, wie der Kirchturm steht.
Du trägst den Hut auf deinen Füßen und wanderst auf die
    Hände, auf den Händen wanderst du.
Hallo, deine roten Kleider, in weiße Falten zersägt.

Rot liebe ich Anna Blume, rot liebe ich dir! – Du deiner dich
 dir, ich dir, du mir. – Wir?
Das gehört (beiläufig) in die kalte Glut.
Rote Blume, rote Anna Blume, wie sagen die Leute?
Preisfrage: 1. Anna Blume hat ein Vogel.
     2. Anna Blume ist rot.
     3. Welche Farbe hat der Vogel?
Blau ist die Farbe deines gelben Haares.
Rot ist das Girren deines grünen Vogels.
Du schlichtes Mädchen im Alltagskleid, du liebes grünes Tier,
 ich liebe dir! – Du deiner dich dir, ich dir, du mir,
 – Wir?
Das gehört (beiläufig) in die Glutenkiste.
Anna Blume! Anna, a-n-n-a, ich träufle deinen Namen. Dein
 Name tropft wie weiches Rindertalg.
Weißt du es, Anna, weißt du es schon?
Man kann dich auch von hinten lesen, und du, du Herrlichste
 von allen, du bist von hinten wie von vorne: „a-n-n-a“.
Rindertalg träufelt streicheln über meinen Rücken.
Anna Blume, du tropfes Tier, ich liebe dir!

Simile

 Ein feines silbergesprenkeltes,
 In der Hand von 5 bis 6 todesmutigen Menschen.
 Ein Schifflein,
 Und damit die rote,
 Und dann,
 Wenn niemand mehr kann,
 Die Blume Anna aus vollem Halse gesungen.
 Fließen auf Erden der Tränen auch viel,
 Über ein Kleines hat alles.

RICHARD HUELSENBECK

Maiennacht
Selige Rhythmen

Straßenbahn hé hé Deine Feuerzange in der Nacht
Der Herr mit der Weinflasche schwankt wie ein Schiff
Jetzt muß die Nacht uns um die Ohren hauen, daß es donnert
Die hohen Zylinderhüte tanzen ein unglaubliches
Leichenbegängnis
Eine Bogenlampe zerknallt auf deinem Schädel alter
Rennschieber
Gold klappert in deinem Sack dein Gesicht reißt kaputt
Hei Lichtströme blaue und rote Lichtströme über die Kabel
dahin
Und der Mond der gutmütig lacht
Und die Baumkuppen die sich auf die Küsse der Sergeanten
senken
Hé hé die Straße rollt sich vor uns auf wie ein Tischläufer
Am Tisch sitzt der Vater die Milchschale in der Hand
Noch ist Krieg und man betet noch immer dasselbe Gebet
Aber unterdessen wird das Feuer unter den Kesseln der
Maschinen geheizt
Der Heizer schnallt sich den Ledergurt um die mageren
Hüften
Hé hé es ist die Zeit wo die Geldschrankknacker unterwegs
sind
Es ist die Zeit wo die Lungenkranken in den verschwitzten
Betten röcheln
Seht nur den Arzt wie er ironischen Blickes die Pinzette
spreizt
Aber der Mond lacht gutmütig altes Rhinozeros
Wo in den Heuschobern die Magd einen Sohn gebar
Kann Christus erstehen der die Welt in seinem Kopf trägt
Ja unerhörtester Schrei der aus den Kloaken dringt

Eisgrotten von elektrischem Licht durchrast
Kirmesbrüllen von Glocken durchpaukt
Automatenmann der leise hinschleicht
Maiennacht Maiennacht oh deine Brüste von Flieder besetzt
Wie von Geschwüren besetzt Sieg kündend
Einen neuen Sieg mit Fahnen und Hindenburg und einem
Erlaß
Unseres Kaisers

Schalaben – schalabai – schalamezomai

Die Köpfe der Pferde schwimmen auf der blauen Ebene
wie große dunkle Purpurblumen
des Mondes helle Scheibe ist umgeben von den Schreien
der Kometen Sterne und Gletscherpuppen
schalaben schalabai schalamezomai
Kananiter und Janitscharen kämpfen einen großen
Kampf am Ufer des roten Meeres
die Himmel ziehen die Fahnen ein die Himmel ver-
schieben die Glasdächer über dem Kampf der hellen
Rüstungen
O ihr feierlichen Schatten Therebinten und Pfeifenkraut
o ihr feierlichen Beter des großen Gottes
hinter den Schleiern singen die Pferde das Loblied des
großen Gottes
schalaben schalabai schalamezomai
das Ohr des großen Gottes hängt über den Streitern
als eine Schale aus Glas
die Schreie des Kometen wandern in der Schale aus
Glas über den Ländern über dem Kampf über dem
endlosen Streite
die Hand des Gottes ist so schön wie die Hand meiner
Geliebten
schalaben schalaben schalamezomai
es trocknet das Gras im Leibe des Generals

auf hohen Stühlen seht sitzen die Schatten der Mitter-
nachtssonne
und die Weiße des nahen Meers und den harten Klang
der Stürme die der Vulkan ausbrach
so Gott seinen Mund auftut fallen die Schabracken und kost-
baren Zäume von dem Rücken des Reittiers
so Gott seinen Mund auftut brechen die Brunnen der Tiefe auf
die Gehängten spielen am Waldrand die
Köpfe der Pferde aber hängen am Wogenkamm
schalaben schalaben schalamezomai
ai ai ai Ich sah einen Thron ich sitz in zehn Thronsesseln
ich sah zehn mal zehn Thronsessel und Königssitze
ich sah die Tiere des Erdkreises und die Metallvögel
des Himmels singen das unendliche Loblied des Herrn
der Phosphor leuchtet im Kopf der Besessenen schala
mezomai
und die Säue stürzen in den See der Lamana heißt
schlage an deine Brust die aus Gummi ist laß flattern
deine Zunge über die Horizonte hin
wedele mit deinen Ohren so die Eisgrotte zerbricht
ich sehe die Leiber der Toten über die Teppiche zerstreut
die Toten fallen von den Kirchtürmen und das Volk
schreiet zur Stunde des Gerichts
ich sehe die Toten reiten auf den Baßtrompeten am
Tage des Monds
rot rot sind die Köpfe der Pferde die in der Ebene
schwimmen

HUGO BALL

Karawane

jolifanto bambla o falli bambla
großgiga m'pfa habla horem
egiga goramen

higo bloiko russula huju
hollaka hollala
anlogo bung
blago bung blago bung
bosso fataka
ü üü ü
schampa wulla wussa olobo
hej tatta gorem
eschige zunbada
wulubu ssubudu uluwu ssubudu
tumba ba-umf
kusa gauma
ba – umf

Seepferdchen und Flugfische

tressli bessli nebogen leila
flusch kata
ballubasch
zack hitti zopp

zack hitti zopp
hitti betzli betzli
prusch kata
ballubasch
fasch kitti bimm

zitti kitillabi billabi billabi
zikko di zakkobam
fisch kitti bisch

bumbalo bumbalo bumbalo bambo
zitti kitillabi
zack hitti zopp

treßli beßli nebogen grügü
blaulala violabimini bisch
violabimini bimini bimini
fusch kata
ballubasch
zick hiti zopp

Intermezzo

Ich bin der große Gaukler Vauvert.
In hundert Flammen lauf ich einher.
Ich knie vor den Altären aus Sand,
Violette Sterne trägt mein Gewand.
Aus meinem Mund geht die Zeit hervor,
Die Menschen umfaß ich mit Auge und Ohr.

Ich bin aus dem Abgrund der falsche Prophet,
Der hinter den Rädern der Sonne steht.
Aus dem Meere, beschworen von dunkler Trompete,
Flieg ich im Dunste der Lügengebete.
Das Tympanum schlag ich mit großem Schall.
Ich hüte die Leichen im Wasserfall.

Ich bin der Geheimnisse lächelnder Ketzer,
Ein Buchstabenkönig und Alleszerschwätzer.
Hysteria clemens hab ich besungen
In jeder Gestalt ihrer Ausschweifungen.
Ein Spötter, ein Dichter, ein Literat
Streu ich der Worte verfängliche Saat.

HANS ARP

Weh unser guter kaspar ist tot.

wer trägt nun die brennende fahne im zopf. wer dreht die
kaffeemühle. wer lockt das idyllische reh.

auf dem meer verwirrte er die schiffe mit dem wörtchen
parapluie und die winde nannte er bienenvater.

weh weh weh unser guter kaspar ist tot. heiliger bimbam
kaspar ist tot.

die heufische klappern in den glocken wenn man seinen
vornamen ausspricht darum seufze ich weiter kaspar
kaspar kaspar.

warum bist du ein stern geworden oder eine kette aus
wasser an einem heißen wirbelwind oder ein euter
aus schwarzem licht oder ein durchsichtiger ziegel an
der stöhnenden trommel des felsigen wesens.

jetzt vertrocknen unsere scheitel und sohlen und die feen
liegen halbverkohlt auf den scheiterhaufen. jetzt
donnert hinter der sonne die schwarze kegelbahn und
keiner zieht mehr die kompasse und die räder der
schiebkarren auf.

wer ißt nun mit der ratte am einsamen tisch. wer verjagt
den teufel wenn er die pferde verführen will. wer
erklärt uns die monogramme in den sternen.

seine büste wird die kamine aller wahrhaft edlen menschen
zieren doch das ist kein trost und schnupftabak für
einen totenkopf.

Schwarze winde hängen wie ketten von den sternen.

enterhaken greifen schwarze lackwände an.

die pläne der städte glühen.

die häuser laufen auf sieben rubinen oder drehen sich auf
diamanten wie kreisel.

donner rollen durch die weiten höfe und die königinnen
     stürzen von ihren melkschemeln.
aus den hälsen der erde steigen die mieter und aftermieter
     mit ihren galvanisierten spinnen.
aus den leimen kommen die glasgeripplein und läuten wie
     das chaos.
wer trägt unser särglein vorüber unter dem kühlen morgen-
     stern.

Jetzt wißt ihr warum der mitternachtsafter mit einem fern-
rohr im maul in unserem blut zu trommeln anfing
warum die lerchen zigarren rauchten
warum die dochte der pflanzen leuchteten
warum die schwefelberge und schwefelflöhe mit lodernden inschriftsbändern flammenwagen voll aschestädten und
glimmenden zundersäulen rauchend aus dem wein empor-
stiegen
warum brennende lampen in koffern verschickt wurden
warum die greise brennende kerzen auf der zunge trugen
warum die kinder eine brennende laterne in ihrem bart
trugen
warum die schlangen leise riefen o cécile wie schön ist die
welt
warum wir dem schimmel im tricot pfiffen
warum das wasserzeichen in uns erzitterte
warum die hasenuhr die wiederkehr des menschenmachers
meldete

In den gräsern hingen die klöppel und schlugen das mai-
summen
von den bögen flogen die schnäbel
wasser wurde zu schnüren und bändern geflochten und zu
knoten geschlungen

schon damals schüttelte einer den kopf über den hokus pokus
der welt
eine hand schlug den sommerregen und das gras das vom
himmel niederwuchs wie einen vorhang zurück
regenbogen in regenbogen geschlungen ergab jene brezel in
der die blasenden vögel mit tonsuren die meere wie motten
in den krallen hielten
die masken atmeten die berge durch das eine nasenloch ein
und stießen sie als rauch durch das andere wieder aus
die vögel hingen ihre glasschweife wie wasserfälle aus den
felsen
die toten mit den pantinen aus kohle hingen als lote von den
decken nieder
legt den sternen hemmschuhe an
holt aus den schränken die siegellackmantillen für die vögel
hebt mit den flaschenzügen die dramatis personae aus der
tiefe

Süddeutscher Ton

ANTON SCHNACK

Am Feuer

Septembernacht. Land zwischen Maas und ihren Bächen;
    Kartoffelfelder, quer überritten, wüst zerstampft,
    zertreten.
Wer kennt sich aus? Wer war schon hier, allein, mit Damen,
    braunen Hunden? Fern: Wälder, Hügel, Allerlei,
    Gestirne, Tote,
Gejohl der Reiter, dreckig, wundgeritten. Verdammt ruch-
    loser Mund der dumpfen Melodie vom frühen Mor-
    genrote! –
Ein Pferd bricht wiehernd auf, trabt gegen Norden ... Ich
    möchte aufstehn, auf die Kniee falln und beten,
Ich möchte Sterne zählen, blaue, grüne, goldne in der gro-
    ßen Mitternacht; Gewitter sehen, wie sie sich ver-
    spritzen,
Westlich, im Sturmwind, violetten – Wer reitet ein? Schwa-
    dronen, Jäger, in den Sätteln schwankend, halbdunkel,
    riesige Gestalten;
Batterien, Train. Zahlreich, fortdauernd, endlos. – Wir wollen
    schlafen, leblos sein, erkalten
Im feuchten Talwind, betropft vom Flankenschweiß der
    Gäule, die in die Finsternis unruhig und wachsam
    braune Ohren spitzen.
Wir wollen träumen: Gold, Gelächter, Frieden, Tage hell
    und weiß, wir wollen träumen: fernes, warmes Land,

Sanddünen, Meer und Segel; wir wollen gehn im Traum mit
    wunderbaren Frauen
Und heitren Kindern! Vor uns die hundert Feuer züngelnd,
    klein, gespenstisch, zuckend, in ihrem Rauch
Fühle ich nichts als dies: Gestirne abenteuerlich unruhig an
    einer schwarzen, ausgespannten Himmelswand,
Als leichten Wind in meinem Haar, im Bogen meiner lang-
    gewachsnen Brauen,
Gestöhn der Schläfer, Rot der Flammen und kalte Erde unter
    meinem Bauch.

Der Abenteurer

Ein dunkles Angesicht, aus dem Süden, verbrannt, verwahr-
    lost, geäzt von Lastern; wer es sah
Quer vor einer Lampe, quer vor einem Lichtwurf, sah Krank-
    heit, Niedergang, Verrohung, Gier,
Sah alte Städte mit Rauch über dem Gerüst, roch Geruch,
    bitteren, aus Kanaltiefe voll unheimlichem Ratten-
    getier;
Wer es sah mit der häßlichen Miene, scharf geschnitten, ein
    Torso wilder Schönheit, hörte Ruf hinter den Häusern
    der Vorstadt, abendlich tief im Herbst, sah sich
    einer nah,
Einer Kreolin, gelbbraun das Antlitz, einer Dirne der Häfen,
    sah einen, der niemals betete, einen, der immer im
    Dunkel saß, tief in Vision, überschattet von weißem
    Traum,
Von einem riesigen Flügel, einen, der hinabging ins Gewühl,
    allein, vereinsamt, mit der Brut des Todes,
Mit dem Mal des Wahnsinns, das Gehirn erkrankt, müde,
    in Fäulnis schillernd, zerstört von den Nadeln der
    Abenteuer, von den tausend Gelächtern der Nächte,
    auf der Stirn ein rotes
Flammendes Zeichen, einen Hieb wie ein Strahl, eine Narbe

lang wie der Leib einer Schlange, von Raufereien her
　　in Spelunken, von einer Trunkenheit, wo über den
　　Mund hing der Rauch von Schaum.

Einer, der viel im Wind ging, der irgendwo schlief in den
　　Betten der Landhäuser oder im Mond, der über der
　　Mainacht lag,
Einer, der alle Gärten der Welt kannte, die wilden, verwahr-
　　losten, mit asiatischem Gestrüpp, mit alten Figuren,
Zertrümmert, in den Blättern des Lattichs, mit uraltem Efeu,
　　einer, der die Springbrunnen liebte, die blauen, in
　　verlassenen Parks, darüber der Sturz von Gestirnen,
Gelblich in die westliche Nacht, wo er die Flöte blies, melan-
　　cholisch, herb, der sich niederlegte über den Leib einer
　　Abisag,
Von der niemand wußte, wo sie geboren, die die Fürstlichste
　　war unter den Huren,
Bleich, mit einem rätselhaften Zug, ins Tierische spielend, mit
　　der er ausging in die jauchzenden Cafes manchmal.
　　Wer sie sah, dunkel, brütend, sah plötzlich Feuerglanz
　　schaurig erblühen aus ihren elfenbeinernen Gehirnen ...

HEINRICH LAUTENSACK

Die Samländische Ode

Der fünfte Gesang

Doch soll man nicht sprechen: bis hier ging' Land.
Gingen Landes Flächen. Und dann käm' ein Rand.
Wie mit Gottes Gartenrechen;
mit Gottes silbernem Gartenrechen gezogen: der Strand
aus Sand. Aus Steinen und Sand.

So soll man nicht meinen. Und darf auch nicht sprechen.

Denn: wo wär' Samland?
Wo wär' Samland: ohne das schier ewige Wellenbrechen,
    Wellenteilen und -steilen und Wellenstechen von stei-
    niger Wand?!
Wo wär's? Wo wär' es?
Wo blieb Samland – ohne es schlechtweg ein Ungefähres! –;
wo blieb Samland: ohne den Reichtum und ewigen Raub,
    ohne das Dasein, ohne die Nähe und ständiges Zutun
    des unbändigen Meeres?!
Zum Exempel: Scholar:
Wenn du ausrastend abends grad einen Durchblick genießt.
Etwan durch silberleibiger Birken hellgrünes Laub wie durch
    aufgelöstes Mädchenhaar
auf's muschelrosige Meer hinaussiehst.
:So denk' nicht, der käme, der schöne Durchblick, bloß
    glücklich erglommen her.
Wie aus fremden Bezirken. Oder anderem Stern. Käm' der
    so fern wie geschwommen her.

Sondern die haben, die beiden, wohl etwas zusammen, dies
    Land und dies Meer!
Haben etwas zusammen, die beiden: Wie Gatten;
und ob sie sich auch nur ein einzig's Mal hatten!
Haben etwas zusammen: Eine „Sie" und ein „Er";
dies Land und dies Meer!
Haben etwas Heimliches. Etwas wie ein heimliches Kind.
Wurden durch etwas zusammengetrieben (und trieben dann
    etwas zusammen). Wie mit ganz fleischlichen Flammen.
    Und sei's nur durch den Wind!

. . . . Oft sind die beiden nur schöne Dinge;
wie dekorativ-übereingebracht.
:Oft taucht das Meer so blau aus der Erdennacht,
wie wenn es – ein stählernes Schwert; eine damaszierte
    Klinge –

in morgendlich silbernem Ringe
quer-her an der Seidenbespannung des Himmelsgewölbes
    hinge.
.... Dann wieder – oh so unsagbar – scheint alles Gewässer
    draußen erhöht und erhoben;
als eilt' es vom Land zum Meer (von täuschenden Horizonten
    hinaufgetan)
ein paar mächtige niebetretene Steinstufen hinan.
: Dann wieder weilt das Meer (von Samland aus) wie auf
    einem prächtigen Podium droben.
(Doch du weißt: es ist Wahn;
weißt: Horizonte, die tun nun zumeist so verschroben!)

Aber dann – geheimnisvoll webend –; und aber dann
lebt selbst Solches und Solches wie Etwas, das nur zwischen
    Frau und Mann:
Aufblickt Samland zum Meer;
aufblickt Samland zum Meer oft – morgens –: wie eine
    Witwe zu ihres gefallenen Gatten Waffe und Wehr,
so über ihr hängt. (Und Abgestorbener Schatten: die gehen
    ja immer um
von unserm Gedächtnis erhöht und erhoben wie droben auf
    einem prächtigen Podium ....)

Nein. Diesen Traum mußt du träumen als läg' hier Samland
    – ein Weib –
unter Wutschäumen neben dem Meere als wär' es des toten
    Gatten erhabener immer noch unbegrabener Leib.
(Und Torpedoboote fräßen sich gleich Aasgeziefer durch
    seinen blähenden Balg.)

Und jede Erdperiode einmal übermannt die Riesin besonders
    tierische Lust
nach dem erschlagenen Riesen. Und zerrt sich selber die Brust.
Und wühlt mit den eigenen Händen tief ein in den brünstigen
    Schoß.

Und schabt von blaurosigen Wänden gelbgoldenes Liebesharz
　　los.
Und wirft's untermischt mit schleimigem Tang, mit Haifisch-
　　zahnresten und namenlosem Alg;
wirft's aus so untermischt wie mit Büscheln von ausgerauften
　　Haaren.

Aber in solch' scheußlichen Mengen. Wie zuletzt in den
　　sechziger Jahren
in einer Herbststurmnacht. : Da lagen den Katzensprung, den
　　kleinen Kirchgang
von Nodems bis Palmnicken ganze Wälder von im Lenden-
　　krampf ausgerodeten Haaren den Strand entlang.
Drinnen funkelten nach dieser ein-einzigen Nacht
viertausend Pfund Bernstein als Wollusttauperlen, gefördert
　　aus schmerzlichem Witwenschacht.

(Und aber all' die seit Jahrhunderttausenden erstarrten
　　gold'nen Ergüsse
bergend – oh köstlich! wie Küsse ...! köstlich dem Dichter! –
　　Fauna und Flora heutigen Japans als Einschlüsse!!)

GOTTFRIED KÖLWEL

Ein Lied gegen den Tod

Wenn dir der hinterlistige Tod
an weißen Tagen
mitten auf der Gasse
im eigenen Schatten begegnet und droht,
lauf unter die Sonne und lasse
ihn totschlagen!

Blinkt aber des Nachts aus dem schalen Wein
sein bleiches Gebein,

ist's wohl am besten, man läuft
ans Faß und schüttet alles hinein,
daß der Tod ersäuft.

Zuweilen
kommt es auch vor,
daß er gleich tausend Nächte lang mit geilen
Brüsten und Schenkeln als falsche Venus erscheint und
nicht ruht,
bis du seine Begierden stillst.
Grabe deiner blinden Glut
zeitig einen Löschgraben vor,
wenn du nicht als Götzenopfer verbrennen willst!

Wenn er dir aber einmal in einer müden Stunde
heimtückisch die Wunde
des Sterbens beibringt, dann zeige
auf deine Kinder, auf die sprossenden Zweige
der Bäume oder auf den roten
samenreichen Mohn im Feld,
nimm nochmal deine ganze Stimme hervor
und schrei es dem armseligen Scheusal höhnisch ins Ohr:
Du bist umsonst auf der lebendigen Welt,
es gibt keine Toten!

Die Sicheln

Sicheln, die in hungerigen Scheunen
müde schlafen, wachen auf und singen
schaurig, wandern, Mordlust in den Klingen,
aus dem Hof, entlang an hellen Zäunen.
Wo die reifen Ähren über dunkeln
Acker-Furchen furchtsam bebend schwanken,
lachen sie, daß ihre heillos blanken
Augen geisternd durch die Felder funkeln.

Die Turmuhren

Gleichmäßig drängen sich die Zacken
der harten Räder in die Lücken,
um jede Stunde fest zu packen,
zu martern und sie tot zu drücken.
Und werfen die erwürgte Stunde
hinunter auf die harten Gassen,
wie satte Katzen aus dem Schlunde
zerbißne Mäuse fallen lassen.

Stiller See

Wenn der wolkenlose, blitzendhelle
Tag sich selig schweigsam auf die breiten
Wasser legt und sich nicht eine Welle,
auch nur leise, aufbäumt, dehnt in weiten
Flächen sich der See aus wie erstarrtes,
klares, grünes Glas, daß man erregt
aus tiefen Träumen aufwacht, wenn ein hartes
Ruder Scherben aus dem Spiegel schlägt.

Sonnenuntergang

Als nach dem ersten großen Frühlingstag
die Sonne aufstieß und zerfließen wollte,
wie da der Horizont sich weit entrollte,
den Glanz zu fassen, der im Raume lag.

Lichthungrig pilgerten die Wälder an,
Gehölze knieten vor der Sonne nieder,
die Vögel opferten die letzten Lieder,
ein Bittdienst vor dem Gold, ein großer Wahn.

Doch eh' man's dachte, niemand war bereit,
versank das letzte Stück der hellen Schäume,
vergeblich bettelten die nackten Bäume
und spreizten ihre Finger, starr und weit.

GEORG BRITTING

Der Morgen

Der Morgen graut über die Dächer
Stumm herauf.
Er reißt den silbernen Fächer
Des Himmels auf.

Kühl durch die Windgemächer
Rinnt grün das junge Licht
In den Tag, der mit Schlag und Gelächter
Anbricht.

Die Wolke

Die Sonne, eine gelbe Butterscheibe, schmolz
Am Himmel hin. Eine Föhre, hart, aus heißem Holz,
Rührte triefend in dem fetten Glanz,
Bis die Wolke kam und ihren schwarzen Schwanz

Fauchend in das Gelbe schlug.
Es erblindete die Föhre und ihr Nadelfirlefanz.
Die Wolke tanzte einen schweren Tanz.
Der Windriese kam und trug
Auf breiten Schultern den gewölbten Regenkrug.

Abend in der Stadt

In der braunen Nacht
Schwimmen rote Lampione:
Späte Radfahrer, die ohne
Laterne heimkehren, haben sie entfacht.

In feuerroten Dünsten
Drehn sich die Kugeln überall,
Aus Glut und Feuersbrünsten
Steigt grell der große Mondenball.

Die trunknen Fahrer schwirren
Insektengroß zum roten Mond
Und surren schrill auf ihren
Rädern rotbelampiont.

Die Heiligen Drei Könige

Der heilige Sankt Kaspar spornt den glänzenden Rappen.
Er bebt im Sattel, rauscht mit brokatnen Gewändern:
Er kommt aus palmenüberblühten Ländern,
Fiebernder Pfeil, wie der springende Leopard in seinem
                              Wappen.

Der heilige Sankt Melchior auf weißem Elefanten
Verließ den Palast mit den schönsten Frauen
Und den hängenden Gärten. Er runzelt die Brauen,
Weil bisher die Tage und Nächte des Suchens so schmerzlich
                              umsonst verbrannten.

Der heilige Sankt Balthasar auf gelbem Dromedar
Lehnt wie eine sehnsüchtige Fahne aus dem geschwungenen
                              Sessel.
Ihn peitscht die Begierde wie eine brennende Nessel,
Er ist der ungeduldigste der lodernden Schar.

Es werfen die Drei die Hände wie brennende Fackeln voran.
Über Berge und Wälder treibt sie ihr Blut.
Wie eine Wolke umwölkt sie die eigene Glut.
Gott zieht mit den ewigen Wandrern als feuriger Schwan,
Mit seinen gespreiteten Flügeln stößt er an Himmel und
                                        Erde an.

Die Stadt in allen Winden

Von allen Seiten gleiten die Winde in die Stadt,
Die Fenster und Türen selig offen hat.
Ob der Morgenwind den Duft von Wäldern und Wiesen
                              bringt,
Der Mittagswind von der Hitze der reifenden Felder wie
                              stählern klingt,
Der Abendwind die Fackel des Monds und die sternblauen
                              Tücher schwingt:
Immer gehn alle Männer der Stadt, alle Jungfrauen und
                              Frauen wie Segel und schief geneigt,
Weil der Atem der Wolken und Wälder auf ihnen wie
                              silbernen Saiten geigt.

VERZEICHNIS DER AUTOREN, GEDICHTE UND QUELLEN

HANS ARP
16. 9. 1887 Straßburg – 7. 6. 1966 Basel

Als Bildhauer, Maler und Dichter war Hans Arp einer der großen Anreger und Meister der modernen Formensprache. 1904 in
Paris erste Berührung mit der modernen Malerei. 1912/13 An-
schluß an den „Blauen Reiter" und Mitarbeit am *Sturm*. 1914 bei
Apollinaire, Picasso und Modigliani. 1916 ist Arp unter den Grün-
dern der Dada-Bewegung in Zürich wohl der genialste Spielgeist.
In den zwanziger Jahren dann führender Surrealist.
Arps Verse aus *Der Vogel selbdritt* (1920) und *Wolkenpumpe* (1920)
scheinen einer schalkhaft-burlesken, leichten Phantasie entsprungen.
Vom Wort bezaubert, schafft ihr Autor Gebilde reiner Assoziation.
Er ist der eigentliche Sprachschöpfer des Dadaismus; Heiterkeit,
Gelöstheit und formale Sicherheit hat er allen Gefährten dieser
Gruppe voraus.

Gesammelte Gedichte. Gedichte 1903–1939. Zürich: Verlag der Arche
und Wiesbaden: Limes Verlag 1963

(Mit freundlicher Genehmigung des Verlags der Arche, Peter Schifferli,
Zürich, und des Limes Verlags, Max Niedermayer, Wiesbaden.)

HUGO BALL
22. 2. 1886 Pirmasens – 14. 9. 1927 Sant' Abbondio, Tessin

Ball hatte die Schauspielschule Max Reinhardts besucht und war in
München Regisseur gewesen, bevor er 1915 mit seiner Frau Emmy
Hennings in die Schweiz emigrierte und im folgenden Jahr in

Zürich das „Cabaret Voltaire" und mit Arp, Tzara, Janco und Huelsenbeck die Dada-Bewegung gründete. 1917 wandte er sich von Dada ab, zog sich ins Tessin zurück und machte „den katholischen Glauben schließlich zum Thema seines Lebens" (Hans Richter).

Ball war ein Sucher nach dem Geheimnis und dem Absoluten, und das Klima des Expressionismus animierte ihn nun besonders zu Lebensexperimenten. Von äußerstem Negativismus und dem Versuch der Gesetzlosigkeit in den Münchener Jahren berichtet Huelsenbeck. Im Dadaismus wurden dann Realität und Kunst gleichermaßen auf die Probe gestellt. Ähnlich und doch anders als Stramm auf dem Weg zum absoluten Ausdruck berührte Ball die Grenzen der Wortkunst: „Ich habe eine neue Gattung von Versen erfunden, ‚Verse ohne Worte' oder Lautgedichte, in denen das Balancement der Vokale nur nach dem Werte der Ansatzreihe erwogen und ausgeteilt wird." – „Man verzichte mit dieser Art Klanggedichte in Bausch und Bogen auf die durch den Journalismus verdorbene und unmöglich gewordene Sprache. Man ziehe sich in die innerste Alchimie des Wortes zurück, man gebe auch das Wort noch preis, und bewahre so der Dichtung ihren letzten heiligsten Bezirk. Man verzichte darauf, aus zweiter Hand zu dichten: nämlich Worte zu übernehmen (von Sätzen ganz zu schweigen), die man nicht funkelnagelneu für den eigenen Gebrauch erfunden habe." Das berühmteste Lautgedicht, die „Karawane", bewahrt freilich einen Rest von gegenständlichem Bezug, von thematischer Vorstellung. Nachdem im ersten Wort auf Elefanten angespielt ist, erweist sich der mimetische Charakter der „schweren Vokalreihen und des schleppenden Rhythmus". Der Vortrag von „Seepferdchen und Flugfische" wurde an einem Dada-Abend durch Tanzdarstellung begleitet: „Hier im besonderen Falle genügte eine poetische Lauffolge, um jeder der einzelnen Wortpartikel zum sonderbarsten, sichtbaren Leben am hundertfach gegliederten Körper der Tänzerin zu verhelfen ... wurde ein Tanz voller Spitzen und Gräten, voll flirrender Sonne und von schneidender Schärfe" (Balls Dada-Tagebuch).

Gesammelte Gedichte. Zürich: Verlag der Arche 1963

(Mit freundlicher Genehmigung des Verlags der Arche, Peter Schifferli, Zürich.)

JOHANNES R. BECHER
22. 5. 1891 München – 11. 10. 1958 Berlin

Sohn eines Amtsrichters und späteren Oberlandgerichtspräsidenten.
Seit 1911 Studium der Philosophie und Medizin in Berlin, München
und Jena. Ende des Ersten Weltkriegs Mitglied des Spartakusbun-
des, dann der Kommunistischen Partei. Entkam in der Nacht des
Reichstagsbrandes 1933 nach Prag. Wien und Frankreich, seit 1935
die Sowjetunion, vor allem Moskau, wurden ihm zum Aufenthalt
und zur Stätte literarischen und kulturpolitischen Wirkens. Im
Mai 1945 Rückkehr nach Berlin, Präsident des Kulturbundes zur
demokratischen Erneuerung Deutschlands, Präsident der Deutschen
Akademie der Künste in Berlin (Ost), 1954 Minister für Kultur.
Vielberedt und vielschreibend, der Zeitstimmung offen, im raschen
Erfolg Werfel vergleichbar, nahm der junge Becher die neuen
Motive auf und machte, gleichsam durch Radikalismus mithaltend,
Übersteigerung in Gefühl und Stil zur Formel seines expressionisti-
schen Dichtertums. Es entstanden Gedichte von forciert-exzessiver
Bildlichkeit in einer asyntaktischen, explosiv-zerhackten Sprache.
Nur eine von mehreren Seiten bezeichnet der Schaffensbereich, der
sich aus Bechers sozialistischer Orientierung, aus dem humanitären
Pathos des Expressionismus und einer entsprechenden Rhetorik her-
ausbildet. Aber hier gibt Becher am ehesten Exempel von Bestand:
als politischer Dichter der expressionistischen Jahre gewinnt er
Figur, was dann eben auch für sein weiteres Wirken entscheidend
wird.

An Europa. Leipzig: Kurt Wolff 1916 (1, 2)
Päan gegen die Zeit. Leipzig: Kurt Wolff 1918 (3)
Um Gott. Leipzig: Insel Verlag 1921 (4)
Maschinenrhythmen. Berlin: Verlag Die Schmiede 1926 (5)

(Mit freundlicher Genehmigung des Aufbau Verlags, Berlin und Weimar.)

FRANZ RICHARD BEHRENS
5. 3. 1895 Brachnitz bei Halle – 30. 4. 1977 Berlin

Mitarbeiter der Zeitschrift *Der Sturm.* Er benutzt die Stilmittel
Stramms, setzt sie jedoch spielerischer, distanzierter ein. Das Gedicht „Campendonk" nimmt die Bildelemente dieses expressionistischen Malers auf und steht damit für die vom *Sturm*-Kreis
propagierte Einheit der Künste in einer Welt der Abstraktionen.
Um 1925 hörte Behrens auf, poetische Texte zu schreiben.

Blutblüte. Berlin: Verlag Der Sturm 1917

GOTTFRIED BENN
2. 5. 1886 Mansfeld, Westpriegnitz – 7. 7. 1956 Berlin

Kommt aus dem Pfarrhaus nach theologischen und philosophischen
Erstsemestern in die Kaiser-Wilhelm-Akademie für Militärärzte.
Den Zeitgeist erfährt er im avantgardistischen Berlin. Der Gedicht-
zyklus „Morgue" (1912) erregt unter den *Lyrischen Flugblättern*
A. R. Meyers besonderes Aufsehen. Im Ersten Weltkrieg als Mili-
tärarzt in Brüssel: die Rönne-Novellen. 1917 bis 1935 Facharzt für
Haut- und Geschlechtskrankheiten in Berlin. 1933 zeitweilig faszi-
niert vom nationalsozialistischen Staat. Die Unvereinbarkeit seiner
geistigen Welt mit dem Regime erkennend, wählt Benn „eine aristo-
kratische Form der Emigration": den Wiedereintritt in die Armee.
Isolation, Schreibverbot. Nach dem Krieg weiterhin zurückgezogene
Lebensführung, dritte Ehe. 1948 beginnt die Periode breiter Aner-
kennung.
Die Motive, die Benn 1912 z. T. aus der klinischen Sphäre und mit
Medizinerjargon vorbrachte, waren neu und schockierend. Aber
hinter der provozierenden Kraßheit stand von Anfang an der
metaphysische Bezug, standen Fragen nach dem Menschen, seiner
Wirklichkeit und Bestimmung, wie sie mit ähnlicher Intensität nur
von wenigen Expressionisten gestellt wurden. Diese Fragen eines
revoltierenden Pfarrerssohnes sollten zeit seines Lebens nicht ver-
stummen, und so bedeutet der Expressionismus für Benns Gesamtwerk auch nicht nur einen Anfang im Formalen, sondern die weiter-
wirkende und verpflichtende Teilnahme an einem Aufbruch ohne
Rückhalt. Über die Leistung der Epoche, mit der er in die Literatur

eintrat, schrieb er 1955: „Also der Expressionismus und das expressionistische Jahrzehnt: einige über den Kontinent verstreute Gehirne mit einer neuen Realität und mit neuen Neurosen. Stieg auf, schlug seine Schlachten auf allen katalaunischen Gefilden und verfiel. Trug seine Fahne über Bastille, Kreml, Golgatha, nur auf den Olymp gelangte er nicht oder auf anderes klassisches Gelände. Was schreiben wir auf sein Grab? Was man über dies alles schreibt, über alle Leute der Kunst, das heißt der Schmerzen, schreiben wir auf das Grab einen Satz von mir, mit dem ich zum letztenmal ihrer aller gedenke: ‚Du stehst für Reiche, nicht zu deuten, und in denen es keine Siege gibt.'"

Gesammelte Werke in vier Bänden. Hrsg. v. Dieter Wellershoff. Dritter Band: Gedichte. Wiesbaden: Limes Verlag 1960

(Mit freundlicher Genehmigung des Verlages Klett-Cotta, Stuttgart.)

ERNST BLASS
17. 10. 1890 Berlin – 23. 1. 1939 Berlin

Studierte 1908 bis 1913 Jura in Berlin und Heidelberg. Später tätig als Archivar an der Dresdner Bank, als Filmkritiker und Lektor. Ein Augenleiden führte zu fast völliger Erblindung.
Blass war mit Hiller befreundet, gründete mit ihm im März 1909 den „Neuen Club", ein Zentrum des Berliner Frühexpressionismus, und las im „Neopathetischen Cabaret" seine Gedichte. Wie Hiller forderte er eine Lyrik, die funkelt „zwischen Stahl und der Blume Viola". Seine Verse voll Sentiment und Skepsis nahmen Berliner Wirklichkeit ziemlich direkt auf. Nachdem er 1913 nach Heidelberg

gegangen war, orientierte er sich an neuromantischen Vorbildern und Stefan George, über den er eine Abhandlung schrieb.

Die Straßen komme ich entlang geweht. Heidelberg: Richard Weissbach 1912

(Mit freundlicher Genehmigung von Herrn Thomas B. Schumann, Hürth-Efferen bei Köln.)

PAUL BOLDT

31. 12. 1885 Christfelde, Kr. Schwetz – 16. 3. 1921 Freiburg i. Br.

Von einem westpreußischen Gutshof kommend, geisteswissenschaftliches Studium ohne Abschluß in München, Marburg und Berlin. 1916 „zur Beobachtung auf Nerven und Geisteskrankheiten" im Lazarett. Dann zunehmende Abkehr von der Literatur und seit 1918 Medizinstudium. Tod durch postoperative Embolie.

Junge Pferde! Junge Pferde! Leipzig: Kurt Wolff 1914

BERTOLT BRECHT

10. 2. 1898 Augsburg – 14. 8. 1956 Berlin

„Sohn wohlhabender Leute." Medizinstudium bis zum Physikum und literarische Anfänge in München. Mit Übernahme einer Dramaturgenstelle (1924) bei Reinhardt in Berlin wird die Entscheidung für das Theater auch nach außen deutlich. Eine zweite Entscheidung fällt in der Beschäftigung mit dem Marxismus. Über Erfolge und Skandale findet in den zwanziger Jahren dann Brechts Aufstieg als „Stückeschreiber" und Regisseur statt. Von 1933 an lebt er als Emigrant in vielen Ländern und Städten, des längeren in Dänemark, Finnland und 1941 bis 1947 in Kalifornien. Rückkehr nach Europa und Übersiedlung schließlich nach Berlin (Ost), wo er das „Berliner Ensemble" gründet und im Theater am Schiffbauerdamm seine dramaturgischen Konzeptionen weiterentwickelt und verwirklicht.

Brecht gehört zu den Dichtern, die durch den Expressionismus beeinflußt wurden, deren Werk aber erst im Anschluß an die expressionistischen Jahre Gestalt, Höhe und historische Relevanz bekam. Gleichwohl gibt es vom jungen Brecht Arbeiten, die von mehr als einer nur mittelbaren Wirkung des Expressionismus zeugen. Die Gedichtsammlung *Hauspostille*, die, obwohl erst 1927 veröffentlicht, in einzelnen Stücken bis in die Kriegsjahre zurückreicht, enthält entsprechend expressionistische Stilelemente: in den um 1920 geschriebenen „Psalmen", in den Liedern Baals, dessen Drama 1918 fertig war, in der „Wasserleichenpoesie" und überhaupt in einem der Hauptmotive des frühen Brecht, dem kreatürlichen Einssein mit dem Gang der Natur.

Gedichte. Band 1: Gedichte 1918–1929. Frankfurt a. M.: Suhrkamp 1960

(Mit freundlicher Genehmigung des Suhrkamp Verlags, Frankfurt a. M.)

GEORG BRITTING
17. 2. 1891 Regensburg – 27. 4. 1964 München

Aus oberpfälzischer Landschaft. 1914 Kriegsfreiwilliger. 1919 bis 1921 mit Josef Achmann Herausgeber der Monatsschrift für neue Dichtung und Graphik *Die Sichel.* Zunächst in Regensburg, seit 1921 als freier Schriftsteller in München lebend.

Britting schließt sich 1919, aus dem Krieg zurückgekehrt, der Literatur der Zeit an und tritt damals vor allem mit Erzählungen hervor. Aus seinen expressionistischen Anfängen entwickelt er sich zu einem führenden Vertreter der Naturdichtung der späten zwanziger und der dreißiger Jahre. Seine frühen Verse jedoch nehmen die

ekstatische Gestik und neugewonnene Freizügigkeit der Metapher
auf und stehen für einen ähnlich süddeutsch-dingorientierten Expressionismus wie die Gedichte Kölwels. Die ausgewählten Beispiele
entstammen trotz späterer Publikation der Zeit zwischen 1919 und
1925.

Gedichte 1919–1939. Gesamtausgabe in Einzelbänden. München:
Nymphenburger Verlagshandlung 1957 (1, 2, 4, 5)
Der unverstörte Kalender. Nachgelassene Gedichte. München:
Nymphenburger Verlagshandlung 1965 (3)

(Mit freundlicher Genehmigung der Nymphenburger Verlagshandlung
GmbH., München.)

THEODOR DÄUBLER
17. 8. 1876 Triest – 13. 6. 1934 Sankt Blasien

Als Sohn eines Großkaufmanns mit italienischer und deutscher
Sprache im illyrischen Schnittpunkt der Kulturen aufgewachsen.
Frühe Eindrücke von Venedig, Rom, Neapel und südlicher Insel-
welt begründen eine lebenslange Bindung ans Mittelmeerische, ein
Musik-Erlebnis in Wien tritt bestimmend hinzu. Seit 1898 entsteht
das lyrische Epos *Das Nordlicht* – „am Fuß des Vesuvs in deutscher
Sprache angefangen", 1910 zu Beginn des Expressionismus ist dieses
Weltgedicht, eine zyklische Kosmogonie, in erster Fassung voll-
endet. Mehrere kleine Gedichtsammlungen folgen. Ein unstetes
Wanderleben zwischen Neapel, Wien, Paris, Florenz, Rom, Dresden und Berlin wird über die offiziellen Anerkennungen der zwanziger Jahre hinaus weitergeführt.
Däubler, ein Jupiter von wuchtender Körperlichkeit und vitaler
Naivität, übte vor allem als ein Mensch, der seinen Weltmythos
verkündet, als Erscheinung von unbekümmert sich ausgebender
Genialität, starke Wirkung auf die expressionistische Generation
aus (Barlach!). Sie erlebte in ihm den schweifenden Rhapsoden, den
„magischen Menschen", der mit elementaren Ursprüngen in Ver-

bindung steht und dem in eruptiven Augenblicken das Wort „aus der vollen Mutterwurzel dröhnt". Seine sinnliche Lust an Sprache und Wortmusik förderte großartige Funde und ebenso Schlacken. Stilistisch darf man bei ihm Bezüge auch zum italienischen Futurismus sehen, in seinem Expressionismus-Aufsatz (1916) schreibt er: „Schnelligkeit, Simultanität, höchste Anspannung um die Ineinandergehörigkeiten des Geschauten sind Vorbedingungen für den Stil. Er selbst ist Ausdruck der Idee."

Dichtungen und Schriften. Hrsg. v. Friedhelm Kemp. München: Kösel 1956 (1–3)
Das Nordlicht. Genfer Ausgabe. Leipzig: Insel Verlag 1921 (4)
(Mit freundlicher Genehmigung von Herrn Friedhelm Kemp, München.)

KASIMIR EDSCHMID
5. 10. 1890 Darmstadt – 31. 8. 1966 Vulpera, Schweiz

Kasimir Edschmid, ursprünglich Eduard Schmid, studierte Romanistik in München, Genf, Gießen, Paris und Straßburg, war seit 1913 Mitarbeiter der *Frankfurter Zeitung,* später freier Schriftsteller bei ausgedehnten Reisen. Seit 1933 lebte er meist in Italien, nach dem Krieg wieder in Darmstadt. Dieser spätere Edschmid, weltaufgeschlossen und seine Burschikosität kultivierend, ist der Verfasser von Reisebüchern, Biographien und Romanwerken, der Rolle nach ein Weltmann und homme de lettres, der sich literarisch von seinen expressionistischen Anfängen distanziert hat, sich gleichwohl aber seinen Jugenderlebnissen als einer großen Zeit verbunden fühlt *(Frühe Manifeste* 1957, *Lebendiger Expressionismus* 1961, *Briefe der Expressionisten* 1964).

Für den Expressionismus gab Edschmid vor allem beispielhafte Prosastücke, durch einen übersteigert konzentrierten Stil, unpsychologische Erzählweise, forciert gepreßte Stofflichkeit und in den Figuren durch leidenschaftliches Übermenschentum gekennzeichnet. Mit Essays und als Herausgeber der Schriftensammlung *Tribüne der Kunst und Zeit* war er auch als Programmatiker wirksam.

Lyriker ist er eigentlich nicht, doch spiegelt sich sein modernes Kraftmenschentum des Expressionismus auch in einer kleinen Gedichtsammlung, der folgende Sätze vorausgeschickt sind: „Geschrieben zumeist etwa Neunzehnhundertdreizehn. Gedichte eines, dem Verse Mißverständnis, Prosa Erfüllung ist. Der, zu wenig eitel oder zu verliebt in diese Form des Dichterischen aus ihm, sie weder verschweigt noch bejaht."

Stehe von Lichtern gestreichelt. Hannover: Paul Steegemann 1919

(Mit freundlicher Genehmigung von Herrn Dr. h. c. Kasimir Edschmid, Darmstadt. Der Gedichtband ist als bibliophiler Handdruck bei Rolf Bernhart, Darmstadt, 1965 neu erschienen.)

ALBERT EHRENSTEIN
23. 12. 1886 Wien – 8. 4. 1950 New York

Studium der Philologie und Geschichte in Wien. Erste Gedichte in Karl Kraus' Zeitschrift *Die Fackel.* Lebte als freier Schriftsteller in den Jahren des Expressionismus in Berlin und dann, immer unruhig und umgetrieben, viel auf Reisen in Afrika und Asien. 1932 siedelte er in die Schweiz über, 1941 nach New York. Er starb dort im Armenhospital, ein Heimatloser jüdischer Herkunft, mit expressionistischem Existenzgefühl und bitterer Welterfahrung. Ehrensteins 1914 veröffentlichte frühe Gedichte sind noch knabenhaft-weich, oft auch von Unverarbeitet-Eigenem erfüllt. In dem Band *Der Mensch schreit* (1916) aber ertönt dann eine der typischen Stimmen der Zeit, geweckt vielleicht durch den Eindruck des Krieges, kühn in der Sprache und den Bildern, weltschmerzlerisch und zynisch, politisch auch und voll Anklage gegen „Barbaropa". Diese für die Epoche charakteristischen Gedichte sind vorgetragen von einem in die Welt und ihr Wesen verbissenen Temperament, von einem Menschen, der, an die Erde gebunden, gleichwohl an dieser Bindung leidet. Seit den zwanziger Jahren suchte Ehrenstein dann Zuflucht im Bereich der Bildungsüberlieferung, der Mythologie, des „Kulturellen"; veröffentlichte Übersetzungen des Lukian und aus dem Chinesischen, geistig auch hier expressionistische Ansätze weiterverfolgend.

Die weiße Zeit. München: Georg Müller 1914 (1, 2)
Der Mensch schreit. Leipzig: Kurt Wolff 1916 (3, 4, 5, 7)
Die rote Zeit. Berlin: S. Fischer 1917 (6)

(Mit freundlicher Genehmigung des Albert-Ehrenstein-Archivs, The Jewish National and University Library, Dr. C. Wormann, Jerusalem, und des Hermann Luchterhand Verlags, Neuwied, der 1961 eine Ehrenstein-Ausgabe *Gedichte und Prosa,* hrsg. v. Karl Otten, vorgelegt hat.)

CARL EINSTEIN
26. 4. 1885 Neuwied – 3. 7. 1940 Pau

Von Karlsruhe, dem Ort seiner Jugend, ging Einstein 1904 nach Berlin: im geistigen Austausch mit vielen europäischen Künstlern und Dichtern. 1914 bis 1918 Soldat, nach dem Krieg unter den Spartakisten, 1937 in Spanien unter den Republikanern. Seit Ende der zwanziger Jahre lebte er in Paris, befreundet u. a. mit Kahnweiler und Braque. In auswegloser Situation nach seiner Internierung 1940 in Südfrankreich nahm er sich das Leben.
Einstein wirkte gleichermaßen mit kunstkritischen wie literarischen Werken in die Epoche: vor allem freilich 1915 mit seinem Buch *Negerplastik,* der Entdeckung der „barbarischen", kubistischen Kunst der Primitiven, geringer mit der grotesk-phantastischen Prosa *Bebuquin* (1912). Gedichte hat er nur wenige geschrieben. Vor dem Nichts, der Leere, dem Tod, denen sein Denken sich konfrontiert sah, sind die Worte weit ins Abstrakte getrieben.

Gesammelte Werke. Wiesbaden: Limes Verlag 1962

(Mit freundlicher Genehmigung des Fannei & Walz Verlags, Berlin.)

GERRIT ENGELKE
21. 10. 1890 Hannover – 13. 10. 1918 bei Cambrai

Sohn eines Kaufmanns, Malergeselle. Dehmel, dem er 1913 seine
Gedichte sandte, empfahl ihn an die „Werkleute auf Haus Nyland",
unter denen er aber dann nur zu Jacob Kneip engere freundschaft-
liche Beziehungen knüpfte. Von 1914 an Soldat. 1918 traf er mit
Lersch zusammen. Kurz vor dem Waffenstillstand 1918 wurde er
tödlich verwundet.
Wegen seines handwerklichen Berufs und Autodidaktentums wird
Engelke meist mit den Arbeiterdichtern zusammengesehen, mit
denen er auch Themen der Arbeitswelt und Stadtlandschaft teilt.
In seinem Glauben jedoch an eine von göttlicher Liebe durchpulste
Welt, in seiner Begeisterung für die Größe der Zeit und seiner
Verkündigung eines höheren Menschentums kommt er ebenso wie
mit einigen Sprachmitteln gewissen expressionistischen Tendenzen
sehr nahe. Er bleibt der auf sich selbst gestellte und seiner sichere
Autodidakt, aber steht wohl unter den Arbeiterdichtern auch am
ehesten unter dem Einfluß des Zeitstils.

Das Gesamtwerk. Rhythmus des neuen Europa. München: Paul List
1960

YVAN GOLL
29. 3. 1891 Saint-Dié – 14. 3. 1950 Paris

Goll, Sohn eines Elsässers und einer Lothringerin, wuchs zwei-
sprachig auf und studierte in Straßburg und Paris. Für die Biographien der *Menschheitsdämmerung* schrieb er über sich u. a.:
„durch Schicksal Jude, durch Zufall in Frankreich geboren, durch
ein Stempelpapier als Deutscher bezeichnet". So lebte er in der
Ungunst der Zeit, ein Unbehauster oder Jean sans Terre, in Zürich,
Lausanne, Ascona, New York und immer wieder Paris. Claire
Studer war ihm Lebensgefährtin.
Einer der poetischen, individuellsten und weitesten Lyriker im Expressionismus. Früh entfaltet sich seine eigene Bildwelt, mensch-
und lebensorientiert, aber immer auch orpheushaft-visionär. Der

Menschheitsglaube und die sozialutopischen Gedanken des Expressionismus werden aufgenommen in diese eigentümliche Bildpoesie, diese Konstante seines Dichtens, die sich am entschiedensten dann vielleicht noch im nachexpressionistischen Surrealismus ausprägt.

Dichtungen. Hrsg. v. Claire Goll. Darmstadt: Hermann Luchterhand 1960 (1)
Requiem. Für die Gefallenen von Europa. Zürich u. Leipzig: Rascher & Co. 1917 (2)
Dithyramben. Leipzig: Kurt Wolff 1918 (3)
Die Unterwelt. Berlin: S. Fischer 1919 (4, 6, 7)
Der Torso. München: Roland Verlag 1918 (5)
Der Eiffelturm. Berlin: Verlag Die Schmiede 1924 (8)

(Mit freundlicher Genehmigung der Fondation Goll, Saint-Dié.)

MARTIN GUMPERT
13. 11. 1897 Berlin – 18. 4. 1955 New York

Sanitätssoldat im Krieg, dann Medizinstudium. 1927 bis 1933 Direktor der Städtischen Klinik für Haut- und Geschlechtskrankheiten in Berlin. 1936 Emigration nach New York. Nach den Gedichtveröffentlichungen *Verkettung* (1917) und *Heimkehr des Herzens* (1921) später u. a. biographische Romane über Hahnemann und Dunant.

Verkettung. Leipzig: Kurt Wolff 1917
(Mit freundlicher Genehmigung von Herrn Dr. H. G. Liebmann, New York.)

VICTOR HADWIGER
6. 12. 1878 Prag – 4. 10. 1911 Berlin

Sohn eines österreichischen Oberstabsarztes. Nach Schulmartyrien
in mehreren Städten und nach einem Zerwürfnis mit dem Vater
lebte Hadwiger seit 1903 in großem wirtschaftlichem Elend als
freier Schriftsteller in Berlin.
Hadwiger, der aus Prager Literatenkreisen kam, stand verschiedenen Einflüssen offen (Nietzsche, Rilke, in der Prosa H. H. Ewers).
Aus dem Nachlaß publizierte Anselm Ruest im Jahre 1912 Gedichte in den *Lyrischen Flugblättern* A. R. Meyers. 1921 widmete
Ferdinand Joseph Schneider dem seinerzeit wenig Anerkannten eine
kleine Monographie, in der er seine Bedeutung für den Ursprung
des Expressionismus hervorhob. Nach Hadwigers frühem Gedichtband *Ich bin* betitelte offenbar Werfel seine Sammlung *Wir sind*.

Ich bin. Leipzig u. Berlin: Georg Heinrich Meyer 1903

FERDINAND HARDEKOPF
15. 12. 1876 Varel, Oldenburg – 24. 3. 1954 Zürich

Lebte 1910 bis 1916 in Berlin, als Parlamentsstenograph tätig,
danach in der Schweiz mit Beziehungen zu den Dadaisten. 1921/22
wieder kurze Zeit in Berlin, schließlich als freier Schriftsteller und
Übersetzer (Gide, Cocteau, Lafargue, Malraux, Colette, Philippe
u. a.) in der Schweiz und Frankreich. Manuskriptverlust bei Ein-
lieferung in ein Konzentrationslager.
Hardekopf, ein Liebhaber des literarischen Cafés, hat „mit wenigen Publikationen, aber mit viel Ansehen sich im Milieu des Früh-
Expressionismus in Berlin bewegt" (Edschmid).

Gesammelte Dichtungen. Hrsg. v. Emmy Moor-Wittenbach. Zürich:
Verlag Die Arche 1963

(Mit freundlicher Genehmigung des Verlags der Arche, Peter Schifferli,
Zürich.)

JAKOB HARINGER
16. 3. 1898 Dresden – 3. 4. 1948 Zürich

Jugend in Salzburg, Studium und Promotion zum Dr. phil. in Königsberg. Seit etwa 1930 Schriftsteller in Aigen bei Salzburg bis zur Emigration in die Schweiz 1938. Unstetes Leben und Tod in Armut.

Haringer liebte die Rolle des dichterischen Vaganten, was ihn nicht nur im Expressionismus ziemlich isolierte. Viele seiner Gedichte sind von österreichischer Sprachwelt geprägt, in manchen adaptiert er Trakl-Töne. Verlorene Liebe, larmoyante Schwermut und das Ausgesetztsein des Heimatlosen und Einsamen nahm er – oft als literarische Geste – ins Werk.

Die Dichtungen. Potsdam: Gustav Kiepenheuer (1925)

(Mit freundlicher Genehmigung des Werner Classen Verlags, Zürich, der 1962 einen Auswahlband von Haringer unter dem Titel *Lieder eines Lumpen* vorgelegt hat.)

WALTER HASENCLEVER
8. 7. 1890 Aachen – 21. 6. 1940 Les Milles, Frankreich

Das Empörertum und der Vaterhaß der expressionistischen Generation hatten bei Hasenclever biographische Grundlage, wenn es stimmt, daß die Szenen und die Figur des Vaters und Arztes in dem Drama *Der Sohn* auf sehr persönlichen Erlebnissen beruhen. Trotz des Jurastudiums in Oxford und Lausanne soll ihm erst die Flucht nach Leipzig Befreiung aus einem gefängnishaften Dasein gebracht haben. Dort jedenfalls fand Hasenclever in Pinthus, Rowohlt und Werfel Gleichgesinnte und lebte in zahllosen Begegnungen mit Dichtern und Künstlern der Zeit auf: feurig, sprunghaft, beweglich und voll Charme.

Der Sohn und die erste Gedichtsammlung *Der Jüngling* geben die vagen Vorstellungen und Sehnsüchte einer idealistischen Jugend in Opposition gegen das herrschende System und die bürgerliche Gesellschaft. Von diesen symbolhaften Selbstdarstellungen gelangt Hasenclever im Verlangen nach Freiheit und Menschlichkeit zur

Begeisterung für das ‚Politische'; unter dem Einfluß Kurt Hillers wird aus dem Typus des Jünglings der des politischen Dichters. Dabei wandelt sich der Kriegsfreiwillige von 1914 zum radikalen Pazifisten, der 1916 den Psychopathen simuliert, um zu Dienstuntauglichkeitserklärung und Sanatoriumsaufenthalt zu gelangen. Zur Zeit der Revolution von 1918 aber, während er, gelesen und vielfach aufgeführt, als politischer Dichter ins Publikum zu wirken beginnt, macht er bereits wieder, den Lehren Buddhas und Swedenborgs folgend, eine neue, seine mystische Periode durch. Das Erlebnis eines Straßenkampfes 1920 in Kiel erstickt endgültig jeden politischen Ehrgeiz in ihm.

1924 geht Hasenclever als Korrespondent und Feuilletonist nach Paris. In diesen Jahren neuerliche Wendung: gegen das Abstrakt-Spekulative zur ironisch-witzigen Gesellschaftskomödie hin; Freundschaft mit Tucholsky. Seit 1933 ist ihm Frankreich und Italien Exil; nach mehreren Verhaftungen wählt er kurz vor seinem 50. Geburtstag im Internierungslager den Freitod.

Tod und Auferstehung. Leipzig: Kurt Wolff 1917 (1, 2, 4)
Der Jüngling. Leipzig: Kurt Wolff 1913 (3)

(Mit freundlicher Genehmigung des Rowohlt Verlags, Reinbek bei Hamburg, in dessen Sammelband Walter Hasenclever: *Gedichte, Dramen, Prosa* [Rowohlt Paperbacks Bd 8], 1963, die Gedichte ebenfalls enthalten sind.)

ADOLF VON HATZFELD
3. 9. 1892 Olpe, Sauerland – 25. 7. 1957 Bad Godesberg

Aus westfälischer Adelsfamilie. Als Fahnenjunker auf der Kriegsschule Potsdam. 1913 bei einem Selbstmordversuch erblindet. Studium, Reisen. Seit 1925 als freier Schriftsteller in Godesberg.
Die zwischen 1916 und 1923 von Hatzfeld veröffentlichten Gedichte sind sprachlich kaum revolutionär, sind jedoch immer Stimme eines Geistes, der seine Zeit überdenkt, erleidet und mit Intensität ausdrückt. Nicht sehr groß an Zahl, erschienen sie in verschiedenen Bänden öfters überarbeitet.

An Gott. Berlin: Paul Cassirer 1919

MAX HERRMANN-NEISSE
23. 5. 1886 Neisse – 8. 4. 1941 London

Nach dem Studium der Literatur- und Kunstwissenschaft in München und Breslau lebte Max Herrmann seit 1909 als freier Schriftsteller in Neisse und dann – seit dem Hochexpressionismus – in Berlin, wo er zum Kreis um Franz Pfemfert gehörte. 1933 mußte er über die Schweiz und Holland nach England emigrieren. Er starb vereinsamt.

Im *Buch Franziskus* (1911) mitunter noch jugendstilig-preziös, nimmt Herrmann in den Stadtgedichten von *Sie und die Stadt* (1914) den Ton eines Blass und Lichtenstein auf und dringt dann, von der Zeit angerührt und vom Willen zur Umformung der Welt erfüllt, zu intensiverem Ausdruck vor. „Geistige Betätigung fängt dort an belangvoll zu sein, wo sie Religion wird", bekennt er 1918. Erleben und Ergründen des Menschseins bestimmen nun bis in die Emigrationszeit seine Gedichte. Formal schreibt Herrmann meist gebändigt, fast kultiviert, viele seiner Strophen sind zart, beseelt, schwermütig. Dem Geist des Expressionismus entsprechen am meisten seine Bände von 1918 und 1919.

Empörung, Andacht, Ewigkeit. Leipzig: Kurt Wolff 1918 (1)
Verbannung. Berlin: S. Fischer 1919 (2–4)

(Mit freundlicher Genehmigung von Zweitausendeins, Frankfurt a. M.)

GEORG HEYM
30. 10. 1887 Hirschberg, Niederschlesien – 16. 1. 1912 Berlin

Sohn eines Militäranwalts, aus einem geistig engen, bürgerlichen Elternhaus, zu dem sich bald die üblichen Spannungen ergeben. Jurastudium in Würzburg, Berlin und Jena. März/April 1910 durch W. S. Ghuttmann in den „Neuen Club" Kurt Hillers eingeführt. Referendar in Berlin. Tod beim Schlittschuhlaufen auf der Havel.

Heym war von vitaler, ruheloser, mit einem Überschuß an Kräften begabter Natur. In kurzer Schaffenszeit entstand ein umfangreiches, freilich vielfach aus Entwürfen bestehendes lyrisches, novellistisches und dramatisches Werk. Literaturgeschichtlich ist wie bei den beiden anderen bedeutenden Frühexpressionisten Stadler und Trakl Kontinuität mit dem Jugendstil gegeben, Einflüsse von Baudelaire und Rimbaud sind festzustellen. Letztlich konstitutiv und unverwechselbar aber bleibt bei Heym die außerordentliche Kraft des Visionären, die plastisch-schauende Bildphantasie mit einer von Dämonen und Gebresten makaber bevölkerten Welt. Die eminente Bildhaftigkeit wirkt formschaffend zusammen mit der festen Zeilenstruktur und der strengen, niemals wuchernden Sprache der Gedichte. Besonders in den späteren Gedichten lockert sich die kalt-pathetische Reihung des Häßlichen im Grotesken.

Dichtungen und Schriften. Gesamtausgabe. Hrsg. v. Karl Ludwig Schneider. Band 1: Lyrik. Hamburg u. München: Heinrich Ellermann 1964

KURT HEYNICKE

20. 9. 1891 Liegnitz – 20. 3. 1985 Merzhausen, Breisgau

„Arbeiterkind, Volksschüler, Bureaumensch, Kaufmann." Kommt über Herwarth Walden zur Literatur und zum Expressionismus, ohne sich freilich der Lyrik des *Sturm*-Kreises anzupassen. Im Ersten Weltkrieg Soldat. Berührung mit der Anthroposophie. In den zwanziger und dreißiger Jahren Dramaturg und Regisseur in Düsseldorf und Berlin u. a. bei der UFA. Romane, Hörspiele. 1959 schrieb Heynicke für die Neuauflage der *Menschheitsdämmerung*: „Ich bin, die menschlichen Entwicklungen eines Lebens einbegriffen, gläubig geblieben, wie in der ersten Zeit meines lyrischen Schaffens."

Rings fallen Sterne. Berlin: Verlag Der Sturm 1920 (Zweite, unveränderte Auflage des Bandes von 1917) (1)
Das namenlose Angesicht. Rhythmen aus Zeit und Ewigkeit. Leipzig: Kurt Wolff 1919 (2–4)

(Mit freundlicher Genehmigung von Herrn Kurt Heynicke, Merzhausen bei Freiburg i. Br.)

JAKOB VAN HODDIS
16. 5. 1887 Berlin – wahrscheinlich 1942

Das Pseudonym ist als Anagramm aus dem bürgerlichen Namen Davidsohn gebildet. Hans Davidsohn, Sohn eines Sanitätsrates, studierte Architektur in München, Griechisch und Philosophie in Jena und Berlin. Ende 1912 zeigten sich erste Anzeichen von Geisteskrankheit. Seit 1914 lebte er in Privatpflege und verschiedenen Heilanstalten. 1942 wurde er aus einem jüdischen Irrenhaus bei Koblenz deportiert und von den Nationalsozialisten an unbekanntem Ort ermordet.
Van Hoddis war im März 1909 Mitbegründer des „Neuen Clubs" und „Neopathetischen Cabarets", der Berliner Anfänge des Expressionismus. Als Freund und Weggefährte von Kurt Hiller, Erwin Loewensohn, Georg Heym, Ludwig Meidner, Ernst Blass, Alfred Lichtenstein, David Baumgardt und Wilhelm S. Ghuttmann gehörte er zu den jungen Leuten, denen die Atmosphäre der Weltstadt Berlin um 1910 zum Erlebnis wurde und die in dieser Umwelt zu einer an gegenseitigen Anregungen reichen literarischen Gruppe zusammenwuchsen. Aus persönlichem Schicksal brachte er metaphysische Sensibilität und eine Weltangst mit, vor der er sich zeitweise auch in einen mystischen Katholizismus zu retten ver-

suchte. Diese Disposition mag mit hineinwirken in das berühmte, von der Darbietungsform des literarischen Kabaretts geprägte, zynisch-groteske Gedicht „Weltende", das, am 11. Januar 1911 in der Wochenschrift *Der Demokrat* veröffentlicht, Epoche machte, zu einem Begriff für den Autor und den Frühexpressionismus wurde und von Kurt Pinthus 1920 zum Auftakt seiner Anthologie *Menschheitsdämmerung* gewählt wurde. Die von van Hoddis zuerst angewandte groteske Bilderreihung wurde vor allem von Alfred Lichtenstein als Stilform „ausgebildet, bereichert, zur Geltung gebracht" (Pfemfert). Die Lyrik des „schwarzen Humors" war damit begründet.

Weltende. Gesammelte Dichtungen. Hrsg. v. Paul Pörtner. Zürich: Verlag der Arche 1958

(Mit freundlicher Genehmigung des Verlags der Arche, Peter Schifferli, Zürich.)

ARNO HOLZ
26. 4. 1863 Rastenburg, Ostpreußen – 26. 10. 1929 Berlin

Sohn eines Apothekers, lebte als freier Schriftsteller meist in Berlin. Er trat zuerst als „konsequenter Naturalist" hervor: dichterisch mit dem in Zusammenarbeit mit Johannes Schlaf entstandenen Skizzenband *Papa Hamlet* (1889) und dem Drama *Die Familie Selicke* (1890), als Theoretiker mit den Schriften *Die Kunst, ihr Wesen und ihre Gesetze* (1891) und *Revolution der Lyrik* (1899). Das Gedicht *Phantasus*, 1885 im *Buch der Zeit* zuerst veröffentlicht, wurde ihm bei ständiger Erweiterung und Motiventfaltung zum zentralen Werk, von 13 Strophen wuchs es auf mehr als 1500 Seiten, es war – wie mit ganz anderen Intentionen Däublers *Nordlicht* – s e i n e Art Weltgedicht, s e i n lyrisch-epischer Zyklus: 1898, 1916, 1925 und 1962 in immer wieder veränderter Form veröffentlicht.
Auf die Expressionisten hatte Holz als Außenseiter kaum direkten Einfluß, doch repräsentiert er eine gewisse Entwicklungsstufe: sein neuerungssüchtiges Sprachbewußtsein, seine Abkehr von konven-

tionellen Gedichtformen und seine Theorie vom gegenstandsadäquaten, „notwendigen Rhythmus" machen ihn mehr als etwa einen Otto zur Linde zum Vorläufer des Expressionismus.

Phantasus. Leipzig: Insel Verlag 1916

(Mit freundlicher Genehmigung von Herrn Manfred Asseyer, Berlin.)

RICHARD HUELSENBECK
23. 4. 1892 Frankenau, Hessen – 20. 4. 1974 Minusio, Schweiz

Studierte Medizin, Germanistik, Philosophie und Kunstgeschichte. Kam 1916 als Pazifist aus Berlin nach Zürich und nahm an der Gründung des Dada teil. Im Januar 1917 kehrte er nach Deutschland zurück und rief im folgenden Jahr mit Raoul Hausmann und Walter Mehring den Berliner Dadaismus ins Leben. Auch George Grosz gehörte zu diesem Kreis, der – sozusagen auf preußischem Boden und anders als die Zürcher den Erscheinungen des Krieges, des Kriegsendes und der Revolution ausgesetzt – eine teilweise recht aggressive Spielart des Dadaismus betrieb. Bis zur Emigration 1936 war Huelsenbeck dann als Schiffsarzt, Auslandskorrespondent und als Schriftsteller in Berlin tätig. In New York Arzt und Psychoanalytiker.

Phantastische Gebete. Zürich: Verlag Die Arche 1960

(Mit freundlicher Genehmigung des Verlags der Arche, Peter Schifferli, Zürich.)

HERMANN KASACK
24. 7. 1896 Potsdam – 10. 1. 1966 Stuttgart

Sohn eines Arztes. Verdienstvoll als Lektor und Verlagsleiter bei
Kiepenheuer (1920–25), S. Fischer (1926/27) und Suhrkamp (1941
bis 1949). Freund Oskar Loerkes. Kasack, der mit Gedichten in
Annäherung an östliche Weisheit Aufmerksamkeit und 1946/47 mit
seinem Roman *Die Stadt hinter dem Strom* breiten Widerhall fand,
hatte als Lyriker des Expressionismus begonnen.

Der Mensch. München: Roland Verlag 1918

(Mit freundlicher Genehmigung von Herrn Dr. Wolfgang Kasack, Bad
Godesberg.)

KLABUND
4. 11. 1890 Crossen a. d. Oder – 14. 8. 1928 Davos

Klabund, eigentlich Alfred Henschke, war seit dem 16. Lebensjahr
lungenkrank. Nach einigen Semestern Literaturwissenschaft und
Philosophie lebte er als freier Schriftsteller, rasch und rastlos arbei-
tend, in Sanatorien und Städten, meist in München und Berlin.
Eingängig schreibend, anpassungsfähig und etwas bohemehaft, war
er einer der populärsten Schriftsteller der expressionistischen Generation, wenngleich er wohl keiner ihrer literarischen Gruppen
angehörte. Oft nimmt er den Ton Heines oder Wedekinds auf, der
Groteskstil des Berliner Expressionismus liegt ihm schon von der
Lebenssituation und -stimmung nahe. Sprachlich enthalten seine
Verse Klischees aus Vergangenheit und Gegenwart, die Prosa seiner
Kurzromane zeigt die expressionistischen Stilelemente vielleicht
beispielhafter. Später Nachdichtungen aus dem Chinesischen. Benn,
mit dem er seit der Schulzeit in Frankfurt a. d. Oder befreundet
war, hielt ihm die Totenrede.

Morgenrot! Klabund! Die Tage dämmern! Berlin: Erich Reiss 1913 (1)
Die Himmelsleiter. Berlin: Erich Reiss 1916 (2, 3)

(Alle Rechte beim Phaidon Verlag, Köln, mit dessen freundlicher Genehmigung der Abdruck erfolgt.)

WILHELM KLEMM
15. 5. 1881 Leipzig – 23. 1. 1968 Wiesbaden

Besuch der Thomasschule, Medizinstudium. Als Arzt im Ersten Weltkrieg. Dann als Verlagsbuchhändler tätig (Alfred Kröner Verlag, Dieterichsche Verlagsbuchhandlung).
Klemm wurde als Schriftsteller zunächst von Franz Pfemfert gefördert und veröffentlichte 1915 bis 1922 mehrere Gedichtbände. Unmittelbares Erlebnis seiner Zeit verbindet sich darin mit Bildungstradition und -bewußtsein. Klemms Phantasie hat zum Ausdruck seines Existenzgefühls viele poetische Landschaften ersonnen. Seine Sprache wirkt weniger naiv-sinnlich als abstrakt und in ihrer Begrifflichkeit mitunter spröde.

Aufforderung. Berlin-Wilmersdorf: Verlag Die Aktion 1917 (1–4)
Verzauberte Ziele. Berlin: Erich Reiss 1921 (5)

(Mit freundlicher Genehmigung von Herrn Wilhelm Klemm †, Wiesbaden, und dem Limes Verlag, Max Niedermayer, Wiesbaden, der den Gedichtband *Aufforderung* 1961 neu aufgelegt hat.)

GOTTFRIED KÖLWEL
16. 10. 1889 Beratzhausen, Oberpfalz – 21. 3. 1958 München

Studium in München. Als Schriftsteller später konservativ-volkstümlich, einer eher herkömmlichen Idyllik anhängend. Seine frühen Gedichte jedoch sind spannungsreich, in einer vielleicht spezifisch süddeutschen Weise konkret, sprachlich sehr kompakt und vor allem bemerkenswert durch ihre Verbindung von Vision und plastischer Bildhaftigkeit. Über sie ist ein Wort Kafkas bekannt: „Diese Gedichte trommelten mir zeilenweise förmlich gegen die Stirn."

Gesänge gegen den Tod. Leipzig: Kurt Wolff 1914 (1–4)
Erhebung. München: Roland Verlag 1918 (5)

(Mit freundlicher Genehmigung des Verlags Albert Langen Georg Müller, München, der 1962-64 von Gottfried Kölwel eine dreibändige Ausgabe *Prosa, Dramen, Verse* herausgebracht hat.)

ELSE LASKER-SCHÜLER
11. 2. 1869 Elberfeld – 22. 1. 1945 Jerusalem

Tochter eines Bankiers und Architekten, führte nach Scheidung von dem Arzt Lasker (1899) ein unstetes Wanderleben, oft in Berlin, etwa zehn Jahre auch mit Herwarth Walden, dem Begründer des *Sturm*, verheiratet. 1933 Emigration mit Aufenthalt in der Schweiz, in Ägypten und Israel, wo sie verarmt starb und auf dem Ölberg begraben wurde.
Else Lasker-Schüler lebte „in der Welt eines phantastischen Orientes, der allmählich ihre wirkliche Welt wurde" (Pinthus), und sie lebte, eine liebende, sich immer wieder verschwendende Seele, in ihren vielen Freunden (Dehmel, Hille, Däubler, Grosz, Marc, Zech, Benn, Trakl, Werfel, Kraus), die sie mit phantastischen Namen bedachte. Etwas von diesem romantisch-bohemehaften Lebensstil war noch vorexpressionistisch, während ihre Verabsolutierung des Innern, die Suche nach einer Wirklichkeit, die ihr im äußeren Leben nicht begegnete, expressionistische Eigenart hatte. Aus Traum und Imagination schrieb sie Metapherngedichte, die wesentlich zur expressionistischen Literatur gehören. Ihre typische Form sind jene Gedichte, die in jeweils zwei- oder dreizeiligen Strophen ein Bild entfalten und diese von orientalischer Dichtung *(Hohes Lied)* beeinflußten Metaphern dann reihen, zu einem Bildteppich knüpfen, bisweilen liedhaft wie selten im Expressionismus.

Gesammelte Werke. Erster Band. Gedichte 1902–1943. Hrsg. v.
Friedhelm Kemp. München: Kösel 1959

(Mit freundlicher Genehmigung des Kösel Verlags, München.)

HEINRICH LAUTENSACK
15. 7. 1881 Vilshofen – 10. 1. 1919 München

Der Kleinbürgersohn brach zunächst aus in die Schwabinger Bo-
hemewelt und war Henkersknecht im Münchener Kabarett der „Elf
Scharfrichter". In Berlin gab er dann mit A. R. Meyer die anre-
gende Zeitschrift *Die Bücherei Maiandros* (1912–14) heraus. 1915 als
Landsturmmann in Ostpreußen, wurde er wegen seiner Filmkennt-
nisse (Mitarbeiter des *Kinobuchs*, Leipzig: Kurt Wolff 1914) bald
wieder nach Berlin reklamiert. Wedekind blieb sein großes Vorbild
bis zum frühen Tod in geistiger Umnachtung.
Lautensack hat in der Lyrik außer Dehmel-Nachfolge, Kabarettisti-
schem und formal konventionellen Erotica einige rhythmusbetonte,
sprachlich originelle Gedichte geschrieben, die im Ausdrucksbereich
der expressionistischen Jahre eine durchaus eigenwertige Stellung
einnehmen.

Almanach auf das Jahr 1919. Hrsg. vom Verlag Fritz Gurlitt,
Berlin.

RUDOLF LEONHARD
27. 10. 1889 Lissa, Posen – 19. 12. 1953 Berlin

Sohn eines Juristen, studierte Germanistik und Jura in Göttingen
und Berlin. Der Kriegsfreiwillige von 1914 wurde Pazifist und

Teilnehmer an der Revolution von 1918. Freier Schriftsteller und Lektor. 1927 Übersiedlung nach Paris. Nach 1933 leitete er dort den „Schutzverband deutscher Schriftsteller im Exil" und arbeitete in antifaschistischen Organisationen. Internierung, Fluchtversuch, Gefangenschaft, erneute Flucht und Tätigkeit in der französischen Widerstandsbewegung. 1950 kehrte er schwer krank nach Berlin zurück.

Leonhard hat als Lyriker leicht und viel geschrieben und war der expressionistischen Bewegung auch in Vorträgen und Bekenntnissen ein unermüdlicher Propagandist: „Wir schreien mit dem ganzen Blut, in die Ewigkeit, unser ganzes Blut schreit, und Ihr werdet mit dem ganzen Leibe hören müssen; oder fühlen. Schreie, die sich aus unsern Wunden wühlen; hört ihr unser schreiendes Blut? Wir gießen es offen hin, hoffentlich, öffentlich; wir, als Sozialisten die besten Individualisten, und Sozialisten aus Individualismus, unkeusch im Leiden und leidend um unserer Keuschheit willen, wir haben unsere private Existenz hinter uns geworfen. Das heißt Gemeinschaft. Und wir werden Eure Privatheit, den Sündenpfuhl nicht mehr dulden, in einem öffentlichen, einem tragischen Zeitalter" *(Alles und Nichts. Aphorismen.* Berlin 1920).

Über den Schlachten. Berlin-Wilmersdorf: A. R. Meyer 1914 (1)
Polnische Gedichte. Leipzig: Kurt Wolff 1918 (2)
Das Chaos. Hannover: Heinrich Böhme 1919 (3)

(Mit freundlicher Genehmigung der Deutschen Akademie der Künste zu Berlin und des Verlags der Nation, Berlin.)

ALFRED LICHTENSTEIN
23. 8. 1889 Berlin – 25. 9. 1914 bei Vermandovillers

Fabrikantensohn, studierte seit 1909 in Berlin und Erlangen Jura und promovierte 1914 mit einer Dissertation über *Die rechtswidrige öffentliche Aufführung von Bühnenwerken.* Im August 1914 kam er an die Front. Sieben Wochen später fiel er an der Somme.
Lichtenstein gehörte zu den Autoren von Pfemferts *Aktion,* der ihm im Oktober 1913 eine Sondernummer widmete; auch im *Sturm,*

im *Simplicissimus* und in einem *Lyrischen Flugblatt* A. R. Meyers
wurden seine Verse gedruckt. Van Hoddis' Gedicht „Weltende"
und seine groteske Bilderreihung waren für ihn stilbestimmend
geworden. Werkbewußt und schreibfreudig, machte er die groß-
städtische Motivwelt und die Bilder des „schwarzen Humors", die
Umsetzung von Emotionen in pantomimischen Ausdruck und die
Technik der versetzten Metapher zu charakteristischen Elementen
des Berliner Frühexpressionismus. Klaus Kanzog, der Herausgeber
der kritischen Ausgabe, vergleicht ihn im Widerstreit von Verstand
und Gemüt und in der stimmungszerstörenden Ironie mit Heine,
sieht deutsch-jüdisches Schicksal in ihm lebendig. In einer von Lich-
tensteins Prosaskizzen sagt ein Dichter: „Das Gefühl der vollkom-
menen Hilflosigkeit, das dich überfallen hat, habe ich häufig. Der
einzige Trost ist: traurig sein. Wenn die Traurigkeit in Verzweiflung ausartet, soll man grotesk werden. Man soll spaßeshalber
weiterleben. Soll versuchen, in der Erkenntnis, daß das Dasein aus
lauter brutalen hundsgemeinen Scherzen besteht, Erhebung zu
finden."

Gesammelte Gedichte. Hrsg. v. Klaus Kanzog. Zürich: Verlag der
Arche 1962

OSKAR LOERKE
13. 3. 1884 Jungen, Kreis Schwetz – 24. 2. 1941 Berlin-Frohnau

Nach abgebrochener Forst- und Landwirtschaftslehre Studium der
Germanistik, Philosophie, Musik und Geschichte; freier Schriftstel-
ler und Dramaturg im Bühnenverlag Felix Bloch, seit 1917 dann
Lektor im S. Fischer Verlag. 1928 bis 1933 Sekretär der Sektion
für Dichtkunst in der Preußischen Akademie der Künste.
Loerke kann nur mit Vorbehalt zum Expressionismus gerechnet
werden. Er lebt stärker in der Tradition als die Jungen von 1910.
Nicht weniges seiner Dichtung macht Bildung aus, meditativer

Geist, Spielgeist. Das Anarchische fehlt, aber vielleicht auch etwas Ursprüngliches überhaupt. Dennoch zeigen in den Gedichten einzelne Motive deutlichen Bezug zur expressionistischen Lyrik (in Erzählungen wie „Goldbergwerk" mehr auch Sprachliches). Das berühmte Gedicht „Strom" ist bei aller kultivierten Durchgestaltung doch in der Art des Weltbezugs, in der Entgrenzung des Ich, der Identifizierung von Ich und Welt und dem Eingang ins Kosmische durchaus expressionistisch. Loerke eignet weder die Kälte noch die Ekstase des Expressionismus, aber seine Fähigkeit zur Vision.

Gedichte. Berlin: S. Fischer 1916

(Mit freundlicher Genehmigung des Suhrkamp Verlags, Frankfurt a. M., der 1958 von Loerke die zweibändige Ausgabe *Gedichte und Prosa* publiziert hat.)

ERNST WILHELM LOTZ
1890 Kulm a. d. Weichsel – 26. 9. 1914 in Frankreich

Lotz wurde mit 17 Jahren Fähnrich, nach dem Besuch der Kriegsschule in Kassel Leutnant, nahm dann seinen Abschied und lebte in Dresden. Er gehörte zu den ersten Opfern des Krieges, in den er begeistert und siegessicher gezogen war. Jugendlich sensitiv, fühlte er sich vor allem Ernst Stadler verbunden. Seine Gedichte entstammen durchweg dem letzten Lebensjahr.

Wolkenüberflaggt. Leipzig: Kurt Wolff 1917

ALFRED MOMBERT
6. 2. 1872 Karlsruhe – 8. 4. 1942 Winterthur

Sohn eines Kaufmanns, studierte Jura und ließ sich, nachdem er 1897 promoviert hatte, als Rechtsanwalt zunächst in Philippsburg, dann in Heidelberg nieder. Seit 1906 freier Schriftsteller, führte er ein „überzeitlich-selig-freies, versenktes, erhobenes Sinnbild-Leben", ein „Dichter-Leben", bis er im Oktober 1940 in ein Konzentrationslager nach Südfrankreich verschleppt wurde. 1933 war er bereits als „Nichtarier" aus der Preußischen Akademie ausgeschlossen worden, hatte aber eine Emigration abgelehnt. Nach einem Jahr „Baracken-Finsternis" erwirkten Freunde für ihn ein Asyl in der Schweiz. Zwei Monate nach seinem 70. Geburtstag starb er an einem Leiden aus der KZ-Zeit bei seinem Schweizer Gastfreund Hans Reinhart.

Für Momberts Gedichtwerk ist, gemeinsam mit dem Däublers, ein zyklischer oder „sinfonischer" Zusammenhang und das Motiv des Kosmischen charakteristisch. In den ausgreifenden Bildern seines beseelten Traumpathos, den visionären und rhetorischen Zügen und den Entgrenzungen zum Mythischen hin kann man den Expressionismus ebenso vorbereitet sehen wie in dem Drang zur Erhöhung und dem Schöpferanspruch des Menschen. So ist es schon Tradition, ihn als einen Vorläufer des Expressionismus zu sehen, wiewohl gewisse Bilder und schönheitliche Züge seiner Dichtung sich deutlich der Kunst der Jahrhundertwende zuordnen.

Dichtungen. Erster Band: Gedicht-Werke. München: Kösel 1963

(Mit freundlicher Genehmigung des Kösel Verlags, München.)

KARL OTTEN

29. 7. 1889 Oberkrüchten bei Aachen – 20. 3. 1963 Minusio

Studierte 1910 bis 1914 Soziologie und Kunstgeschichte. Die Freundschaft mit Erich Mühsam, Heinrich Mann, Carl Sternheim und Franz Blei wurde ihm „politisch und künstlerisch richtunggebend". Anhänger eines messianischen Kommunismus und glühender Pazifist, erlebte er den Ersten Weltkrieg zeitweise in „Schutzhaft" und als Arbeitssoldat. 1918 in Wien Herausgeber der Zeitschrift *Der Friede*, seit 1924 in Berlin freier Schriftsteller. 1933 Emigration nach Spanien, 1936 nach England. 1944 erblindet.

Otten hat, seit 1958 in Locarno lebend, als Publizist und Herausgeber, vor allem durch die beiden umfangreichen Anthologien *Ahnung und Aufbruch. Expressionistische Prosa* (1957) und *Schrei und Bekenntnis. Expressionistisches Theater* (1959), zur Rezeption des Expressionismus nach dem Zweiten Weltkrieg sehr beigetragen.

Thronerhebung des Herzens. Berlin-Wilmersdorf: Verlag Die Aktion 1918

(Mit freundlicher Genehmigung von Frau Ellen Otten, Minusio.)

LUDWIG RUBINER
12. 7. 1881 Berlin – 26. 2. 1920 Berlin

Außer daß er sich in Berlin, in Paris und während des Ersten Weltkriegs in der Schweiz aufhielt, ist über Rubiners Leben wenig bekannt. Biographische Angaben für die *Menschheitsdämmerung* hatte er mit der Begründung abgelehnt, daß „für die Gegenwart und die Zukunft nur die anonyme, schöpferische Zugehörigkeit zur Gemeinschaft" von Belang sei. Derart antiindividualistisch und aus politischen, nicht ästhetischen Gründen antibürgerlich, setzte er sich zum Ziel, die soziale Revolution „geistig vorwärts zu treiben". Im Jahre 1919, als er die Anthologie *Kameraden der Menschheit* herausgab, schien ihm „die seelisch wertvollere Revolutionsdichtung nicht sozialistisch, sondern vorläufig noch utopisch" zu sein. Auch „das Schöpferische des Revolutionsgedichtes" lag bei der „ethischen Entscheidung für die Zukunft". Dieser Utopismus verband sich mit expressionistischen Stilmitteln: Rubiners „Erdballgesinnung" fand Ausdruck in Whitmanscher Perspektivik, in Stoffsummierung, Bildüberschneidung und Simultaneität.

Das himmlische Licht. Leipzig: Kurt Wolff 1916 (1)
Kameraden der Menschheit. Dichtungen zur Weltrevolution. Hrsg.
v. Ludwig Rubiner. Potsdam: Gustav Kiepenheuer 1919 (2)

WILHELM RUNGE
1894 – März 1918 vor Arras

Zum Kreis um den *Sturm* gehörend, meist deutlich in der Nachfolge Stramms schreibend.

Das Denken träumt. Berlin: Verlag Der Sturm 1918

RENÉ SCHICKELE
4. 8. 1883 Oberehnheim, Elsaß – 31. 1. 1940 Vence

Schickeles Vater war deutscher Weingutbesitzer, seine Mutter stammte aus Frankreich. Seine Herkunft – er prägte den Begriff des „geistigen Elsässertums" – machte ihn grenzenfeindlich und gab ihm eine kulturelle und politische Mission für die Versöhnung der Völker, vor allem Frankreichs und Deutschlands. Nach naturwissenschaftlichen und philosophischen Studien in Straßburg, München und Paris lebte er seit 1904 als Journalist und Schriftsteller, war viel auf Reisen in Italien, Griechenland, Kleinasien, Nordafrika und Indien. Während des Ersten Weltkriegs wohnte er in Zürich, seit 1920 in Badenweiler, seit 1932 an der französischen Riviera. Schickele, der schon 1902 seinen ersten Gedichtband veröffentlicht und mit *Der Stürmer* seine erste Zeitschrift herausgegeben hatte, blieb impressionistischer Erlebnisweise immer etwas verbunden. Als sprudelnder und agiler Geist leistete er für den Expressionismus Bedeutendes mit der Übernahme (1915) der Zeitschrift *Die weißen Blätter,* in der dann z. B. Benns „Gehirne" oder Kafkas „Die Verwandlung" zuerst veröffentlicht wurden. Aber schon seit 1910 war er auch selbst mit Gedichten, Novellen und Essays im expressionistischen Stil hervorgetreten, hatte sich früh die neuen Tendenzen zu eigen gemacht. „Auf jedes neue Werk gehe ich los wie auf den Todfeind. Es entläßt mich: verprügelt, mit hängender Zunge, gelb vor Müdigkeit und Enttäuschung sehe ich meiner Niederlage zu, schlotternd in der Erinnerung an die überstandenen Geisterstunden, – und alle Sinne begierig nach dem Neuen, das auf den Zusammenstoß mit mir wartet. (Wie lange schon blinzle ich nach ihm hin im endenden Handgemenge?)" – so seine „schöpferische Konfession". Ernst Stadler hat über den frühen Schickele einen größeren Essay geschrieben, Edschmid in *Lebendiger Expressionismus* (1961) dem Freund ein Denkmal gesetzt.

Weiß und Rot. Berlin: Paul Cassirer 1920. Zweite, veränderte und vermehrte Auflage. (Erstausgabe 1910) (1)
Die Leibwache. Berlin: Paul Cassirer 1914 (2, 3)

(Mit freundlicher Genehmigung des Verlags Kiepenheuer & Witsch, Köln.)

ANTON SCHNACK
21. 7. 1892 Rieneck, Mainfranken – 26. 9. 1973 Kahl am Main

Journalist und Feuilletonredakteur, dann freier Schriftsteller. Seine frühen Gedichtveröffentlichungen repräsentieren einen weitausgreifenden, ekstatischen, doch meist am Sinnlich-Gegenständlichen sich entzündenden Expressionismus, wie er für die Jahre zwischen 1917 und 1922 recht bezeichnend ist.

Tier rang gewaltig mit Tier. Berlin: Ernst Rowohlt 1920 (1)
Der Abenteurer. Darmstadt: Die Dachstube 1919 (2)

(Mit freundlicher Genehmigung von Herrn Anton Schnack †, Kahl am Main.)

KURT SCHWITTERS
20. 6. 1887 Hannover – 8. 1. 1948 Ambleside, Westmoreland

1904 bis 1914 Studium an der Kunstakademie Dresden. Lebte seit 1919 in Hannover. 1923 bis 1927 gab er die dadaistische Zeitschrift *Merz* heraus. 1935 Emigration nach Norwegen und 1940 Flucht nach England.

Schwitters schuf Collagen und Material-Bilder. Er stand Herwarth Waldens *Sturm* nahe, zeigte literarisch zunächst auch formale Anregungen von Stramm, bis er seine grotesk-phantastischen Gedichte aus Dada-Geist schrieb. Mit Ernst und Bravour trug er sie vor, eine „Mischung von äußerster Ungehemmtheit und Geschäftssinn, von freiestem schöpferischen Geist und Publicitygaben" (Hans Richter). Seine „Anna Blume" wurde berühmt, fast eine selbstgeschaffene Muse des Dadaismus.

Anna Blume. Hannover: Paul Steegemann 1919 (1)
Die Blume Anna. Die neue Anna Blume. Berlin: Verlag Der Sturm 1923 (2)

(Mit freundlicher Genehmigung des DuMont Buchverlags, Köln.)

ERNST STADLER
11. 8. 1883 Colmar – 30. 10. 1914 Zandvoorde bei Ypern

Sohn eines Staatsanwalts. 1902 Beginn des Studiums der deutschen Sprache und Literatur in Straßburg, Beteiligung an einem jungen elsässischen Literatenzirkel um René Schickele und die Zeitschrift *Der Stürmer*, erste Gedichte. 1904 zum Studium in München; der Gedichtband *Praeludien* beschließt diese erste Epoche. 1906 Promotion in Straßburg, anschließend weitere Studien in Oxford, 1908 Habilitationsschrift über *Wielands Shakespeare*, 1910 Privatdozent in Brüssel. 1911 setzen wieder stärkere literarische Bemühungen ein, mit denen kritische Arbeiten zur zeitgenössischen Dichtung einhergehen. 1914 erscheint die Gedichtsammlung *Der Aufbruch*. Stadler hält Vorlesungen über die deutsche Lyrik der neuesten Zeit, ein Ruf auf eine Professur in Kanada ergeht an ihn. Aus diesem wissenschaftlichen und literarischen Wirken reißt ihn der Krieg, von dessen Ausbruch er im Gegensatz zu vielen Dichtern bedrückt ist, wie er auch, bestärkt durch eine Prophezeiung, seinen Tod darin vorausgeahnt haben soll. Der Person des Gefallenen bemächtigt sich bald eine gewisse Legende, die an seine vom Elsässertum ausgehende europäisch-übernationale Gesinnung anknüpft.
Stadlers literarische Anfänge sind neuromantisch-ästhetisierend, von Hofmannsthal und George bestimmt. Nicht ohne motivische Beein-

flussung, aber in bewußter Abwendung von dieser ‚Formkunst' entfaltet sich dann in den Jahren 1911 bis 1913 sein dem Frühexpressionismus zuzuordnendes Schaffen. Die unter dem Titel *Der Aufbruch* gesammelten Gedichte werden zum Ausdruck der neuen Weltfreude und Vitalität, sie sprechen ebenso von metaphysischer Sehnsucht, Übersteigerung und Auflösung im All wie von absoluter Lebenshingabe und Bruderschaft mit den „Dumpfen" und „Armen". Früh gelten seine Langzeilenverse als repräsentativ für die Dynamik und das Sprengende der neuen Ausdrucksformen, und vorbildhaft gehörte Stadler zu den Jungen: „gegen das Bestehende . . . der Anwalt des Werdenden" (Schirokauer).

Dichtungen. Eingeleitet, textkritisch durchgesehen und erläutert von Karl Ludwig Schneider. Erster Band. Hamburg: Heinrich Ellermann 1954.

AUGUST STRAMM
29. 7. 1874 Münster, Westfalen – 1. 9. 1915 bei Horodec, Rußland

Stramm arbeitete sich als Postbeamter und Reserveoffizier ehrgeizig hoch, nutzte Fortbildungsmöglichkeiten innerhalb seines Berufes, studierte als Gasthörer und promovierte über die *Briefpostgebührensätze des Weltpostvereins*. Aus gesicherter bürgerlicher Existenz dann dilettierte er in verschiedenen Künsten, bis er mit seinen Dramenversuchen die Aufmerksamkeit Herwarth Waldens fand. Zwischen März und Juli 1914 entstehen seine für den Expressionismus wesentlichen Gedichte, die in dem Band *Du* gesammelt werden. Unter dem Eindruck der Kriegserlebnisse schreibt er weiter. Er fällt bei einem Sturmangriff in den Rokitno-Sümpfen.
Die Gedichte Stramms bilden innerhalb des Expressionismus zu dem rhetorischen Stil den Gegenpol des Konstruktivistischen. Ihre Inhalte sind durchaus konventionell, bisweilen banal. Wichtig ist

für ihren Verfasser aber das Erarbeiten einer neuen Aussageform, das Schaffen sprachlicher Gebilde aus einer künstlerischen, gegen eine grammatische Gesetzlichkeit. Mit Wortverkürzungen und -neubildungen, mit spezifisch rhythmischen Kompositionen sucht er letzte Dichte und Geschlossenheit, größte Ausdruckskraft auf kleinstem Raum zu erreichen. Sein Experiment des sprachlichen Komprimierens ist ein Suchen nach dem „einzigen allessagenden Wort". In Herwarth Walden, dem Begründer des *Sturm*, fand Stramm einen Freund und Berater, bekam über ihn Anregungen und Bestätigung, auch durch Marinetti und den Futurismus. Walden wiederum sah in Stramm den Künstler, der seinen spezifischen Theorien entsprach und offenbar seine Kunstauffassung praktizierte. So nahm Stramms Werk über seinen Propagator Einfluß auf den *Sturm*-Kreis und fand Nachfolge dort etwa bei Behrens und Runge.

Das Werk. Wiesbaden: Limes Verlag 1963

ERNST TOLLER
1. 12. 1893 Samotschin bei Bromberg – 22. 5. 1939 New York

Sohn eines Kaufmanns, Jurastudent, Kriegsfreiwilliger voll nationaler Begeisterung. 1916 schwer verwundet entlassen, organisiert er mit Kurt Eisner den Widerstand gegen den Krieg und wird nach dessen Tod Vorsitzender der USPD und Vorstandsmitglied im Zentralrat der bayerischen Arbeiter-, Bauern- und Soldatenräte. Wegen dieser revolutionären Tätigkeit 1919 zu fünf Jahren Festungshaft verurteilt. Seitdem Verzicht auf parteipolitische Tätigkeit und Entschluß, als Dichter zu allen „Bereiten" zu sprechen. 1933 Emigration über die Schweiz, Frankreich und England nach den USA. Dort Freitod.

Tollers wirkungsvollster Beitrag zum Expressionismus waren seine durchweg im Gefängnis geschriebenen Zeitstücke gegen Krieg und soziale Ungerechtigkeit. Diese künstlerisch bedeutenden, von humanitärem Ethos erfüllten Demonstrationen erregen zwischen 1919 und 1923 Aufsehen wie Skandal. Lyrik aus der Qual des Gefangenen ist sein *Schwalbenbuch* (1924), dessen Verse ebenso wie die *Gedichte eines Gefangenen* (1921) die Unmittelbarkeit, aber auch das Unverarbeitete der Erlebnisnähe haben. Diese Gedichte erscheinen aus der Distanz künstlerisch stark überformt später neu in dem Band *Vormorgen*.

Vormorgen. Potsdam: Gustav Kiepenheuer 1924

(Mit freundlicher Genehmigung des Internationaal Literatuur Bureau, Hein Kohn, Hilversum, für Herrn Sidney Kaufmann.)

GEORG TRAKL
3. 2. 1887 Salzburg – 3. 11. 1914 Krakau

Aus wohlhabender Kaufmannsfamilie. Abbruch des Gymnasiumbesuches wegen ungenügender Leistungen. Ausbildung zum Apotheker. Seit dem 18. Lebensjahr Drogen nehmend. Unter Gleichaltrigen in Salzburg frühe Bohemienrolle. Viersemestriges Pharmaziestudium in Wien. Einjährig-Freiwilliger bei der k. u. k. Sanitätsabteilung Nr. 2 in Wien. Versuche zu geordnetem Leben und Brotberuf scheitern immer wieder. Zunehmende seelische Leiden, Verzweiflung, Trunkenheitsexzesse und Betäubungsakte. Freunde wie vor allem Buschbeck und Ficker stützen das zerbröckelnde Leben. Bei Kriegsausbruch kommt Trakl als Medikamentsakzessist nach Galizien. Nach der Schlacht bei Grodek allein mit der Versorgung von neunzig Schwerverwundeten betraut, begeht er einen Selbstmordversuch, worauf er zur Beobachtung seines Geisteszustandes ins Krakauer Garnisonshospital abkommandiert wird. Dort stirbt er durch eine Überdosis Kokain.

Eine extrem gefährdete, zuletzt qualvolle Existenz, frühe Berührung mit Décadence-Dichtern, die Lektüre Baudelaires, Rimbauds (in der Übersetzung von K. L. Ammer) und Dostojewskis, eine inzestiöse Bindung an die Schwester, beider Rauschgiftverfallenheit, starke Sinnlichkeit und ursprüngliche Religiosität gehören zur Basis für eine Dichtung der Weltangst, der Melancholie und der dämonisierten Wirklichkeit. Hölderlinscher Stilebene nahe, entsteht eine eigene, absolute Bildwelt aus den Motiven „Traum und Umnachtung", „Offenbarung und Untergang", „Dämmerung und Verfall". Neben den Einflüssen des österreichischen Impressionismus und den Stilzügen, die unmittelbar der Epoche des Expressionismus zugehören, ist eine starke Eigenprägung in dieser Lyrik bemerkbar, deren Rätselhaftigkeit bisher fast mehr zu theologischer, psychologischer und philosophischer Auslegung als zu literaturwissenschaftlicher Betrachtung gereizt hat.

Die Dichtungen. Salzburg: Otto Müller o. J. (12. Auflage)

ARMIN T. WEGNER
16. 10. 1886 Elberfeld – 17. 5. 1978 Rom

„Auf den Hochschulen in Breslau, Berlin, Zürich und Paris vervollkommnete ich mich in allen Fächern, die nicht zu meinem Studium der Volkswirtschaft und der Rechte gehörten. Als Landfahrer sah ich im Fluge ganz Europa und die Küste von Afrika. . . . In Antwerpen, Berlin und Paris geschah mir das Wunder der großen Stadt unserer Zeit. Ich war Ackerbauer, Hafenarbeiter, Schauspielschüler, Hauslehrer, Redakteur, Volksredner, Liebhaber und Nichtstuer, erfüllt von einer tiefen Begierde nach dem Geheimnis aller Dinge der Welt" (nach Soergel-Hohoff). Wegner war im Ersten Weltkrieg als Krankenpfleger in Rußland, dann als türkischer Sanitätsoffizier in Bagdad. In den zwanziger Jahren Pazifist, Mitbegründer des Bundes der Kriegsdienstgegner. Viele Reisen. Nach 1933 wegen eines Protestschreibens gegen die Judenverfolgung in Gefängnissen und KZ-Lagern. Seit der Emigration 1935 wurde

Italien seine Wahlheimat. 1941 bis 1943 lehrte er an der Hochschule in Padua. Heute lebt er in Rom oder auf Stromboli.

Das Idealistisch-Begeisterte Wegners bezeugen sogleich seine Jugendgedichte (*Zwischen zwei Städten* 1909). Allmählich findet er aus zeitüblichen Empfindungs- und Sprachklischees zu künstlerischer Selbständigkeit, wobei ihm aber Leben stets vor der Kunst zu rangieren scheint. Die Stadt und die eigene Wanderschaft werden seine großen Themen, mit ihnen vor allem leistet er in den Bänden *Das Antlitz der Städte* (1917; entstanden 1909–13) und *Die Straße mit den tausend Zielen* (1924; entstanden 1910–20) seinen Beitrag zum Expressionismus.

Das Antlitz der Städte. Berlin: Egon Fleischel & Co. 1917 (1, 2)
Die Straße mit den tausend Zielen. Dresden: Sibyllen Verlag 1924 (3)

(Mit freundlicher Genehmigung von Herrn Dr. Arnim T. Wegner †
und Frau Irene Kowaliska-Wegner, Rom.)

FRANZ WERFEL
10. 9. 1890 Prag – 27. 8. 1945 Beverly Hills, Kalifornien

Sohn eines wohlhabenden Handschuhfabrikanten. 1910 nach Besuch des Gymnasiums in Prag kaufmännische Lehre in Hamburg. 1912 Übersiedlung nach Leipzig, wo Werfel als Lektor im Kurt Wolff Verlag mit Hasenclever und Pinthus fördernd, anregend und wortführend für die jungen Autoren der expressionistischen Generation wirkte. 1915 bis 1917 als österreichischer Soldat im Krieg. Lebte dann in Wien, oft auch auf Reisen, verheiratet mit Alma Mahler, der Witwe des Komponisten. Von seinem expressionistischen Dichtertum nahm er später Abstand, schrieb Dramen und vor allem ein umfangreiches Romanwerk, das mitunter höher eingeschätzt wird als die lyrischen Anfänge. 1938 mußte Werfel emigrieren. Auf gefahrvoll-abenteuerlicher Flucht gelangte er über Frankreich, Spanien und Portugal nach den USA.

Der junge Werfel galt seinen Zeitgenossen als einer der bedeutendsten unter den expressionistischen Autoren, zumal da er den expressionistischen Kult des Menschen, eine Erneuerung des Menschen aus absoluter Hingabe und Weltverbundenheit, eingeleitet hatte. Werfel war wohl der erste, von dem der „O Mensch"-Ruf erging. Ethische und religiöse Leidenschaft trieb ihn immer wieder zu Schuldbekenntnis und Sehnsuchtsschrei, Zukunftsvision, Botschaft und Erlösungsprophetie. Später merkte man, daß seinem emotional bestimmten Pathos eine entsprechende Sprachkraft und ein gleichwertiges Formvermögen versagt geblieben waren. Seine arglos unkritische Schaffensfreudigkeit traf Karl Kraus mit dem Satz: „Und die Gefühle gehen wie geschmiert." Doch eben diese Gefühle, das „Programm" und der Aussageimpetus machen seine Gedichte für den Expressionismus wesentlich.

Der Weltfreund. München: Kurt Wolff 1920 (Erstausgabe 1911) (1)
Wir sind. Leipzig: Kurt Wolff 1914. Dritte Auflage (Erstausgabe 1913) (2, 3)
Einander. Leipzig: Kurt Wolff 1915 (4, 5, 6)
Der Gerichtstag. Leipzig: Kurt Wolff 1919 (7)

(Mit freundlicher Genehmigung des S. Fischer Verlags, Frankfurt a. M.)

ALFRED WOLFENSTEIN
28. 12. 1888 Halle a. d. Saale – 22. 1. 1945 Paris

Verbrachte seine Jugend in Berlin und lebte nach Jurastudium und Promotion dort und in München als freier Schriftsteller. 1934 Emigration nach Prag und weiter nach Paris. Während der deutschen Besatzung 1940 dreimonatige Gefangenschaft, dann Leben unter falschem Namen und ständige Flucht durch Frankreich. Herz- und nervenkrank, nahm er sich nach der Befreiung in einem Pariser Krankenhaus das Leben.
Wolfensteins Entwicklung erscheint nicht untypisch: sie geht, von Rilke sich quasi abstoßend, über jünglingshafte Erlebnisse in die Weite eines allgemeineren Freiheits- und Verbrüderungsverlangens,

zur Idee von der Freundschaft und zu „menschlichem Kämpfertum". Als „Beispiel einer menschlich tönenden Welt" gab er 1919/20 in zwei Jahrgängen *Die Erhebung* heraus, ein „Jahrbuch für neue Dichtung und Wertung" und wichtiges Anthologie-Dokument. In den zwanziger Jahren wandte sich Wolfenstein bewußt vom lyrischen Ich ab und suchte die objektivere Form des Dramas.

Die gottlosen Jahre. Berlin: S. Fischer 1914 (1)
Die Freundschaft. Berlin: S. Fischer 1917 (2, 3)
Menschlicher Kämpfer. Berlin: S. Fischer 1919 (4, 5)

(Mit freundlicher Genehmigung von Herrn Frank T. Wolfenstein, London.)

PAUL ZECH
19. 2. 1881 Briesen, Westpreußen – 7. 9. 1946 Buenos Aires

Bäuerliche Herkunft, Jugend im Bergischen Land und in Wuppertal. Studium in Bonn, Heidelberg und Zürich. Seiner Person und seinem Wirken wird besondere Vitalität nachgerühmt. Aus sozialem Idealismus arbeitete er nach Abbruch des Studiums in Kohlenzechen des Ruhrgebiets und Eisenhütten Belgiens und Nordfrankreichs. Seit 1910 lebte er meist in Berlin, tätig als Redakteur, Bibliothekar und Werbeleiter. Nach seiner Inhaftierung 1933 emigrierte Zech über Prag und Paris nach Südamerika.
Die Mitleidsgeste Rilkes und die von George mitbeeinflußte Gedichtform Heyms haben auf die Lyrik Zechs gewirkt. Ein gewisser Naturmythizismus im Erlebnis des Waldes und ein – vielleicht aus dem Wuppertalerischen stammendes – Gottsuchertum bestimmen früher und später sein Werk. Seine expressionistischen Jahre aber stehen vor allem unter dem Eindruck des Aufenthaltes in der Schwerindustrie und der Proletarierwelt: „. . . diese zwei (reichsten) Jahre –: Bottrop, Radbod, Mons, Lens, bestimmten: von Machthabern, von Schwerhörigen und Blinden –: Hellhörigkeit und Güte für Alle auf Erden zu fordern. Lange bevor die Affäre November 1918 war" *(Menschheitsdämmerung).* Für das Gedicht bedeutete die

Welt der Fabrikarbeiter noch relativ unverbrauchtes, widerstreben-
des Motiv. Zech nahm es aber nicht nur aus politischen oder sozial-
revolutionären Intentionen auf: „Hier lagern Urweltkräfte und
ethische und kulturelle Werte und Umwertungen aufgespeichert,
Berg an Berg. Hier rauchen die Flammenzeichen einer neuen Religion" (*Die Aktion* 1913).

Der feurige Busch. München: Musarion Verlag 1919 (1)
Die eiserne Brücke. Leipzig: Verlag der Weißen Bücher 1914 (2)
Das schwarze Revier. Neue, gänzlich umgestaltete Ausgabe. Mün-
chen: Musarion Verlag 1922 (3–6)

(Mit freundlicher Genehmigung von Herrn Rudolf Zech, Berlin.)

AUTORENREGISTER

Literatur des Expressionismus

IN RECLAMS UNIVERSAL-BIBLIOTHEK

Ernst Barlach: *Der arme Vetter*. Drama. Nachw. von Walter Muschg. 109 S. UB 8218

Gottfried Benn: *Gehirne*. Novellen. Textkr. hrsg. von Jürgen Fackert. 85 S. UB 9750

Die deutsche Literatur. Ein Abriß in Text und Darstellung. Bd. 14: Expressionismus und Dadaismus. Hrsg. von Otto F. Best. 336 S. UB 9653

Kasimir Edschmid: *Die sechs Mündungen*. Novellen. Nachw. von Kurt Pinthus. 135 S. UB 8774

Einakter und kleine Dramen des Expressionismus. Hrsg. von Horst Denkler. 287 S. UB 8562

Carl Einstein: *Bebuquin*. Hrsg. von Erich Kleinschmidt. 87 S. UB 8057

Gedichte des Expressionismus. Hrsg. von Dietrich Bode. 261 S. UB 8726

Reinhard Goering: *Seeschlacht*. Tragödie. Nachw. von Otto F. Best. 77 S. UB 9357

Yvan Goll: *Ausgewählte Gedichte*. Hrsg. und eingel. von Georges Schlocker. 69 S. UB 8671

Georg Heym: *Dichtungen* (Gedichte. Der fünfte Oktober. Eine Fratze. Der Wahnsinn des Herostrat. Aus den Tagebüchern und Traumaufzeichnungen). Ausw. und Nachw. von Walter Schmähling. 86 S. UB 8903

Georg Kaiser: *Von morgens bis mitternachts.* Stück in zwei Teilen. Fassung letzter Hand. Mit einem Nachw. hrsg. von Walther Huder. 77 S. UB 8937

Else Lasker-Schüler: *Die Wupper.* Schauspiel. Dokumente zur Entstehungs- und Wirkungsgeschichte und Nachw. von Fritz Martini. 175 S. UB 9852

Prosa des Expressionismus. Hrsg. von Fritz Martini. 319 S. UB 8379

Reinhard Sorge: *Der Bettler.* Eine Dramatische Sendung. Hrsg. von Ernst Schürer. 205 S. UB 8265

Carl Sternheim: *Tabula rasa.* Schauspiel. Nachw. von Ernst Schürer. 87 S. UB 9907

Theorie des Expressionismus. Hrsg. von Otto F. Best. 296 S. UB 9817

Georg Trakl: *Werke · Entwürfe · Briefe.* Hrsg. von Hans-Georg Kemper und Frank Rainer Max. Nachw. und Bibliogr. von Hans-Georg Kemper. 367 S. UB 8251 – auch gebunden

Philipp Reclam jun. Stuttgart

Deutsche Gedichte des 20. Jahrhunderts

IN RECLAM-ANTHOLOGIEN

Philipp Reclam jun. Stuttgart